UMA VIDA SEM LIXO

Cristal Muniz

UMA VIDA SEM LIXO

GUIA PARA REDUZIR O DESPERDÍCIO
NA SUA CASA E SIMPLIFICAR A VIDA

Copyright © Cristal Muniz

Copyright desta edição © 2018 Alaúde Editorial Ltda.

Todos os direitos reservados. Nenhuma parte desta edição pode ser utilizada ou reproduzida – em qualquer meio ou forma, seja mecânico ou eletrônico –, nem apropriada ou estocada em sistema de banco de dados sem a expressa autorização da editora.

Este livro é uma obra de consulta e esclarecimento. Uma vez que mudar hábitos relacionados à saúde envolve certos riscos, nem o autor nem a editora podem ser responsabilizados por quaisquer efeitos adversos ou consequências da aplicação do conteúdo deste livro sem orientação profissional.

O texto deste livro foi fixado conforme o acordo ortográfico vigente no Brasil desde 1º de janeiro de 2009.

Preparação: Aline Souza

Revisão: Raquel Nakasone; Patrícia Vilar (Ab Aeterno)

Capa e projeto gráfico: Amanda Cestaro

Fotografias: Lucas Lorenzo, orelha, p. 2 e p. 29; Itummy/Shutterstock.com, p. 43; svetochek/ Shutterstock.com, p. 145; Ines Lorenzo, p. 172; Lucy Liu (calça), Floral Deco (sapatos), Africa Studio (cachecol e blusa), Tarzhanova (camiseta)/Shutterstock.com, pp. 192-193; Felipe Machado e Júlia Giusti, todas as demais.

Ilustrações: Mauricio Muniz

1ª edição, 2018 (2 reimpressões)

Impresso no Brasil

Dados Internacionais de Catalogação na Publicação (CIP)
(Câmara Brasileira do Livro, SP, Brasil)

Muniz, Cristal
    Uma vida sem lixo : guia para reduzir o desperdício na sua casa e simplificar a vida / Cristal Muniz. – São Paulo : Alaúde Editorial, 2018.

    Bibliografia.
    ISBN 978-85-7881-563-9

    1. Coleta seletiva 2. Consumo sustentável 3. Desperdício - Combate 4. Estilo de vida 5. Lixo - Eliminação 6. Reciclagem (Resíduos etc.) 7. Sustentabilidade I. Título.

18-17222   CDD-363.728

Índices para catálogo sistemático:
1. Dicas para gerar menos lixo : Bem-estar social 363.728

Maria Paula C. Riyuzo - Bibliotecária - CRB-8/7639

2021

Alaúde Editorial Ltda.

Avenida Paulista, 1337, conjunto 11

São Paulo, SP, 01311-200

Tel.: (11) 3146-9700

www.alaude.com.br

blog.alaude.com.br

SUMÁRIO

Apresentação 7

Introdução 8

COZINHA 19

BANHEIRO 73

ÁREA DE SERVIÇO 149

GUARDA-ROUPA 183

ESCRITÓRIO 205

SAINDO DE CASA 219

Notas 241

Marcas que eu recomendo 247

APRESENTAÇÃO

Eu sempre separei o lixo reciclável e me preocupei com o desperdício da água e da energia não só porque os meus pais me ensinaram, mas também os meus avós Dulcy e Norberto, com quem morei durante a infância. Mas foi quando eu fui morar sozinha que meu lixo começou a me incomodar de verdade. Como é que podia, uma só pessoa e uma gata minúscula produzirem toda semana de cinco a seis sacolas de lixo? O pior era que desses, só um ou dois eram recicláveis. Por isso, quando eu descobri o movimento lixo zero, vi que tudo faria mais sentido na minha vida. Foi naquele domingo que eu li todas as postagens do blog *Trash is for Tossers*, da Lauren Singer, que descobri que queria embarcar nessa jornada também. Foi assim que surgiu meu blog *Um ano sem lixo*, para contar como eu ia aprender ao longo do ano de 2015 a parar de produzir lixo. Parecia loucura, mas quanto mais eu mudava e pesquisava, mais viável tudo ficava. As compras a granel com meus saquinhos e vidrinhos ficaram fáceis e eu não levava mais dezenas de embalagens para casa a cada ida ao mercado. Comecei a fazer meus cosméticos e descobri quão importante e libertadora é a autonomia de escolher ingredientes no lugar de promessas para passar no rosto. Praticamente zerei minha rinite por não entrar mais em contato com químicos e mais químicos em cosméticos ou produtos de limpeza. Agora só entram versões naturais e a maior parte, feita aqui em casa mesmo. Tudo isso você descobre a seguir, neste livro que conta todas as mudanças que eu fiz para ter minha casa sem lixo e sem desperdício – livro que só foi possível com ajuda dos meus pais, que escolheram meu nome e, com isso, meu caminho; do meu pai, Mauricio Muniz, que fez as ilustrações; da Júlia Giusti e do Felipe Machado, que fotografaram; do Lucas Lorenzo, que fez foto e deu pitaco, e da Iana Lua e do Dudu, que cederam sua casa linda para fazer as fotos.

INTRODUÇÃO

POR QUE PRECISAMOS PARAR DE PRODUZIR LIXO

PANORAMA DO PROBLEMA DO LIXO

Precisamos parar de produzir lixo para ontem. Estamos perdendo dinheiro, recursos, poluindo o mundo, matando animais e transformando nossa casa cada dia em um lugar mais sujo e menos habitável. Para você ter uma ideia de quão grave é a situação, existe uma estimativa de que em 2050 haverá **mais plástico do que peixes nos oceanos**. Esse material carrega substâncias químicas que contaminam a água. Ele também acaba matando muitos animais, que o ingerem achando que é algum outro animal marinho – e como você pode imaginar, não é nada saudável comer plástico. As microfibras de plástico que se desprendem de pneus, roupas sintéticas e outros materiais já estão presentes na nossa água encanada – em 83% das amostras, para ser mais preciso. Mas o plástico também é um problema fora da água: **nove em cada dez pássaros também o ingerem**.

Eu sei que falar desses dados é angustiante e prometo que logo começo a falar das soluções, mas precisamos ter uma noção mais real do problema para tentar resolvê-lo. É por isso que só reciclar não é mais suficiente, mas ainda é muito importante, principalmente no Brasil.

RECICLAR É PRECISO

A reciclagem no nosso país ainda caminha a passos lentíssimos. A quantidade de lixo que passa por esse processo hoje é de só cerca de 3% do total de resíduos produzidos. Apesar da lei sobre o assunto – a Política Nacional de Resíduos Sólidos – ter sido aprovada em 2010, as mudanças só começaram a aparecer a partir de 2015. Ainda faltam incentivos fiscais por parte dos governos, investimento em máquinas para tornar o processo de reciclagem mais eficaz e muita pesquisa para desenvolver produtos que tenham resíduos recicláveis, reaproveitáveis, e que sejam de fácil descarte, entre outras coisas.

Por aqui o sistema de coleta seletiva normalmente é de porta a porta: você coloca os sacos de lixo na frente da sua casa, na rua, e o caminhão passa para buscar, mas algumas cidades também possuem contêineres por quadra para otimizar o tempo de coleta. De uma forma geral, **você só precisa separar o que é reciclável do que não é**, sem se preocupar com os tipos de materiais que estiver misturando. Embalagens de papel, metal, vidro, plástico limpos e sem restos de produto ou comida ficam em um lixeiro diferente de restos de comida ou materiais orgânicos, papel higiênico, sujeira de limpar a casa e lixos especiais como pilhas e baterias ou lâmpadas. Vamos ver na sequência tudo o que pode ser reciclado e o que não pode.

Depois de separar o lixo, você precisa descobrir qual é o dia da coleta seletiva na sua rua. Se não houver na sua cidade **(apenas 18% dos municípios brasileiros tem),**[1] movimente-se para **pedir**. Enquanto isso, descubra uma associação de catadores para **encaminhar seu lixo reciclável**. Muita gente espalha por aí que no Brasil não adianta separar o lixo porque os garis misturam tudo depois. É mentira. Isso só acontece se você coloca seu lixo separado no dia da coleta comum, que manda tudo para o aterro sanitário. Aí sim, tudo vai ser misturado – mas porque você colocou no dia errado.

Na hora de descartar o lixo reciclável você pode:

Colocar na sua rua nos dias e horários específicos da coleta seletiva, se houver. Verifique essas informações com sua prefeitura.

Combinar um dia e horário com um catador de lixo ou uma associação de catadores para que

No capítulo Saindo de Casa (página 219) tem instruções de como fazer isso.

O app Cataki faz essa ponte entre quem quer descartar e catadores de lixo que recolhem material reciclável.

eles recolham o lixo reciclável na sua casa.

Levar o lixo até à sede de uma associação de catadores.

Levar o lixo até um Ponto de Entrega Voluntária (PEV) da sua cidade, que normalmente fica próximo de mercados, praças, cooperativas.

Depois que esse lixo sai da sua casa, ele vai para centrais de triagem onde é separado por material, pesado, prensado e vendido para empresas de reciclagem. Esse processo é longo e demorado, principalmente se você mora em uma cidade menor, e é por isso que **é tão importante limpar as embalagens antes de enviar para a coleta seletiva**. Mas não precisa lavar como se estivesse lavando louça, normalmente passar uma água na hora do uso já tira toda a sujeira. Deixe tudo na pia enquanto você enxagua sua louça e ele ficará bem limpinho, pronto para todo o processo!

TUDO SEPARADINHO: COMO PREPARAR O LIXO PARA O DESTINO CERTO

RESÍDUOS SECOS

PAPEL

Reciclável: papel de caderno, de escritório, jornais, revistas e panfletos; embalagens; papel de seda; papel-toalha, higiênico e lenços de papel limpos; cartões e cartolinas; caixas de papelão; papel *kraft*, de desenho.

Não reciclável: papel-vegetal, celofane, carbono, papéis sujos ou engordurados, revestidos com cera, parafina ou silicone; fotografias, fitas e etiquetas adesivas; papel de extrato bancário.

METAL

Reciclável: alumínio (latas de bebidas, tampa de iogurte, papel-alumínio, sachês de café); folha-de-flandres, ou aço revestido com estanho (latas de óleo, sardinha, de conservas em geral); ferragens; fio de cobre; panela sem cabo plástico; arame.

Não reciclável: esponja de aço; lata de aerossol; lata de tinta ou de verniz.

PLÁSTICO

Reciclável: embalagens plásticas de todos os tipos (garrafas pet, xampu, detergente etc.); tampas plásticas de produtos; embalagens de ovos, frutas e legumes; utensílios plásticos como canetas, escovas de dente, copos, sacolas; isopor; embalagens plásticas metalizadas tipo de salgadinhos.

Não reciclável: plástico tipo celofane; acrílico; plásticos sujos.

VIDRO

Reciclável: garrafas de bebidas; potes em geral (molhos, produtos de limpeza, perfumes, remédios); embalagens quebradas.

Não reciclável: espelhos; vidros de carro ou janelas; lâmpadas; cristal; vidros temperados ou de utensílios domésticos.

RESÍDUOS ESPECIAIS

LÂMPADAS

Não podem ser descartadas no lixo reciclável nem no comum porque possuem gases tóxicos. Procure um PEV. Normalmente lojas que vendem este produto encaminham para um descarte adequado.

BATERIAS E PILHAS

Não podem ser descartadas no lixo reciclável nem no comum porque possuem metais pesados. Procure um PEV.

REMÉDIOS E DESCARTÁVEIS DE PROCEDIMENTOS DE SAÚDE

Esse tipo de lixo não pode ser colocado no lixo reciclável nem no comum porque possui contaminantes. No caso das embalagens de remédio, a recomendação é reciclar as caixinhas e bulas quando estas não entram em contato com o remédio. As embalagens que entram em contato, as consideradas primárias, devem ser descartadas em farmácias ou postos de saúde. No caso de agulhas, seringas e outros instrumentos usados por pessoas com doenças crônicas, é necessário ter uma caixinha de lixo infectante em casa e levar até um posto de saúde ou um hospital quando estiver cheia. Eles encaminharão para o destino adequado.

ELETRÔNICOS

Não podem ser descartados no lixo reciclável nem no comum porque possuem metais pesados. Procure um PEV.

TECIDOS

Não podem ser descartados no lixo reciclável nem no comum porque não são separados pela coleta seletiva. Como podem ser reciclados, você pode levar em um PEV. Veja no capítulo Guarda-roupa mais instruções para dar o destino adequado a roupas e tecidos.

COMO ARMAZENAR O LIXO RECICLÁVEL

Limpe ou lave seu lixo. Para embalagens de comida, assim que usar já passe uma água para tirar o excesso de sujeira na hora – isso facilita o processo de limpeza. Se a comida estiver grudada, deixe a embalagem na pia enquanto lava a louça. A comida vai desgrudando conforme a embalagem for ficando molhada.

Coloque **pedacinhos pequenos** de plástico dentro de garrafas pet e feche com a tampa. Assim eles não ficam perdidos e espalhados por aí quando o catador abre a sua sacolinha.

No caso do vidro, lembre sempre de **sinalizar a caixa** que você vai usar para guardar as embalagens. Se não estiver sinalizado, este lixo pode machucar quem faz a coleta se o material se quebrar. Lembre sempre que seu lixo é recolhido por pessoas. Se tiver um PEV na sua cidade específico para esse material, melhor ainda.

Você vai precisar de uma lixeira para os resíduos recicláveis. Uma só basta e eu espero que ela possa ser bem pequena depois que você aplicar todas as dicas deste livro. Use sacos plásticos conforme a recomendação da sua prefeitura se sua coleta for de porta em porta. A recomendação padrão costuma ser **saco claro (verde ou azul)** para os lixos recicláveis e **saco preto** para o lixo comum. Caso você leve seu lixo até uma associação de catadores, um PEV ou um contêiner na rua, você pode colocá-lo em uma caixa de papelão, por exemplo, e dispensar o plástico.

RESÍDUOS ORGÂNICOS

Imagina que todo o seu lixo orgânico não precisa mais ir para o aterro sanitário. No lugar de uma lixeira para ele, você vai precisar de uma composteira, que transforma todo esse material em adubo! No capítulo Cozinha, eu explico exatamente como fazer isso em casa ou em apartamento.

O termo correto para nomear este processo é "downcycling".

REJEITOS

Como deu para ver, quase tudo pode ser reciclado ou reaproveitado (e não precisa ir parar no aterro sanitário). Mas há alguns resíduos que são **rejeitos**, cujo destino final precisa ser o aterro. Todos os itens não recicláveis entram nessa categoria, assim como fraldas descartáveis, absorventes femininos, embalagens de papel engorduradas, dejetos animais embrulhados em jornal etc. É esse tipo de lixo que a gente precisa começar a retirar da nossa casa e da nossa vida, já que ele não tem um ciclo de vida circular.

Cradle to cradle significa em português "do berço ao berço". Esta é a maneira como os autores Michael Braungar e William McDonough chamaram a abordagem da circular no seu livro de mesmo nome.

APENAS RECICLAR NÃO É A SOLUÇÃO

Apesar de a reciclagem ainda ser muito importante, principalmente no Brasil, onde o desvio de lixo reciclável é baixíssimo do total produzido, ela já não é mais a solução. Reciclar significa, na maioria das vezes, transformar aquele material em um de **menor qualidade.** Isso é um problema que começa no projeto dos produtos, que não leva em consideração sua circularidade. No mundo ideal, um produto pode ser reciclado e sua matéria-prima vira integralmente um produto igual, só que novo, sem perder qualidade, sem perder recursos, sem inviabilizar a reciclagem, sem gerar custos ou uso de químicos extras. Essa abordagem, chamada de *cradle to cradle*, consiste em ver o lixo como alimento para o mundo, seja em matéria técnica (plástico, metal, vidro) ou matéria orgânica (tecidos ou papéis que se decompõe e nutrem o solo). Quando a gente começar a mudar como os produtos são projetados lá nas fábricas de um modelo linear (produção > uso > descarte) para um modelo circular (produção > uso > reciclagem >), automaticamente teremos mais reciclagem e menos lixo.

Mas simplesmente reciclar não necessariamente torna um material ecologicamente sustentável – principalmente se ele não foi pensado para a reciclagem. A maior parte dos plásticos, quando passa por um processo de reciclagem, leva mais aditivos químicos, mistura diferentes materiais e resulta em um híbrido de menor qualidade.

A reciclagem que transforma o produto em outro, como no caso dos tecidos feitos de garrafa PET, dá a sensação de que algo realmente bom está sendo feito porque reduz as pilhas e pilhas daquele resíduo. Mas na verdade estamos criando uma demanda de mercado para um material que já existe em abundância e que vai necessitar de um aumento da produção para suprir duas frentes agora: as garrafas PET e os tecidos. É ainda pior quando usamos esse material em conjunto com algodão, porque aí impossibilitamos sua reciclagem posterior quase que totalmente.

Por isso, ao mesmo tempo que fazemos um esforço para ensinar todo mundo a separar o lixo e aumentar o volume da coleta seletiva, precisamos repensar os resíduos que geramos. O melhor caminho para reduzir qualquer impacto ambiental não é reciclar mais, mas produzir e descartar menos.

Repensar nossa postura de impacto no planeta abrange várias possibilidades e variáveis, e minhas ideias ao longo deste livro vão estar baseadas nos cinco Rs do movimento lixo zero, criado pela Bea Johnson, do blog *Zero Waste Home*: **Recusar, Reduzir, Reutilizar, Reciclar e CompostaR.**[2]

Recusar brindes, coisas que a gente ganha em evento, em palestra, que chegam pelos correios e não servem para nada, comprovantes de compra, correspondência que pode ser digital.
Reduzir a quantidade de coisas que você tem, doando ou

vendendo para sebos e brechós. A ideia é ficar somente com o que você usa e usar tudo o que você tem. Também passa pela noção de diminuir a quantidade de compras.

Reutilizar tudo o máximo possível antes de jogar fora. Eliminar produtos descartáveis como guardanapos, copos, talheres, garrafas d'água, sacolas de compras etc.

Reciclar tudo o que der da maneira mais ecológica possível. Compre produtos usados, feitos com materiais recicláveis, e que possam garantir uma circularidade. Evite o plástico.

Compostar o lixo orgânico em vez de enviá-lo para um aterro sanitário. Tenha uma composteira adequada para sua casa e transforme seu lixo em adubo para a terra.

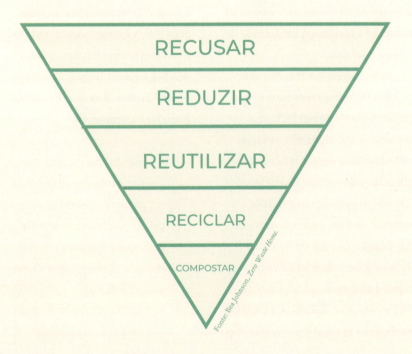

Fonte: Bea Johnson, *Zero Waste Home*.

16   INTRODUÇÃO

PRIMEIROS PASSOS: CONHEÇA SEU LIXO

A primeira coisa a fazer para produzir menos lixo é descobrir quais tipos de lixo você produz. Assim, você pode escolher eliminar um de cada vez, caminhando aos poucos, sem tentar muitas coisas ao mesmo tempo e reduzindo a chance de frustração.

Para pensar nos resíduos que gera em casa (é muito possível que você não se lembre de todos), responda às perguntas:

Como é sua rotina?

Você cozinha ou come fora?

Que lixos você costuma produzir ao longo de um dia?

Quem mora com você?

Você tem filhos?

Você tem animais de estimação?

Você já separa o lixo reciclável?

Quais são as lixeiras que você tem na sua casa?

Pense com carinho em cada uma dessas perguntas e anote da maneira que preferir (se for no celular melhor ainda para não gerar lixo à toa). O importante é parar para se dar conta dos resíduos que produzidos sem perceber, de maneira automática. Depois que você descobrir qual a sua maior fonte produtora de lixos, é só pensar em uma solução e começar a fazer diferente. Algumas respostas de como recusar, reduzir, reutilizar, reciclar e compostar os resíduos das perguntas acima estão nos capítulos a seguir (Cozinha, Banheiro, Área de Serviço, Escritório, Guarda-roupa e Saindo de Casa). Boa jornada!

CAPÍTULO 1

COZINHA

O CORAÇÃO DA CASA

A cozinha é o local da casa onde a gente mais produz lixo. Estima-se que cerca de **51,4% dos resíduos domésticos sejam de materiais orgânicos, e sua maioria é alimentar.**[1] É também o cômodo onde todo mundo passa muito tempo, seja cozinhando, seja comendo. As reuniões familiares acontecem normalmente ao redor da mesa, as pessoas conversam e compartilham enquanto mexem no fogão.

Reduzir esses resíduos passa pelas etapas de comprar, armazenar, cozinhar, comer e jogar fora. É o que vamos ver neste capítulo. Vai ser um processo de aprendizado na sua casa, porque muitas mudanças são apenas questão de hábito. Pronto?

COMENDO COMIDA DE VERDADE E PRODUZINDO MENOS LIXO

Eu cresci na casa dos meus avós maternos, Dulcy e Norberto, em uma cidade que, na época, tinha cerca de 5.000 habitantes, bem no interior de Santa Catarina. Apesar de ser na cidade, meu avô tinha uma chácara com vacas de onde vinha o leite que minha avó fervia para a gente tomar e ela fazer queijo. A horta do lado de casa tinha mandioca, alface, couve, **radicchio**, hortelã e capim-limão. No quintal havia laranja, limão, acerola, jabuticaba, **bergamota**, uva, fruta--do-conde, ameixa-japonesa, babosa, pêssego. Uma fartura. A gente comia muito bem porque era quase tudo plantado em casa ou nos arredores e feito pelas mãos da minha avó. Pouquíssima coisa era industrializada. Eu vivia no céu, você pode imaginar.

Foi por causa dessa criação com meus avós que sempre me alimentei muito bem. Também porque tanto meu pai como minha mãe sempre me ensinaram a comer direito. Quando eu era bebê, minha mãe amassava minhas papinhas na mão para não perder nutrientes. Cortava mamão para comer com iogurte caseiro e granola no café da manhã. Mamei no peito mais que só os seis meses recomendados pela Organização Mundial da Saúde. Nunca ia em fast--foods; as extravagâncias que a gente fazia nas férias com meu pai eram bolo de banana integral ou uma tigela imensa de açaí com banana e granola depois da praia em Florianópolis – e de vez em quando a gente comia uma coxinha de frango na padaria.

Aprendi muito sobre técnicas culinárias quando morei com meu tio Cláudio e minha tia Cris no começo da faculdade. Descobri a

Também conhecido como almeirão em algumas partes do país.

Chamada também de tangerina ou mexerica, dependendo da região.

delícia que é um aspargo, aprendi a fazer o risoto clássico e o segredo para um molho de tomate gostoso e não ácido.

Por isso, eu sempre tive uma dieta bem saudável, mesmo depois de ir morar sozinha, que é quando a gente costuma comer muita porcaria por não saber cozinhar, pela pressa e pela liberdade. Muito arroz e feijão, muitos refogados de legumes e muitas frutas sempre foram a maior parte da comida da minha casa. Sempre gostei muito de cozinhar, sempre senti muito prazer em comer e em descobrir segredos do mundo da cozinha. Quando me tornei vegetariana, há uns quatro anos, comecei a pensar também em nutrição e entender mais sobre nutrientes.

Mas, apesar de todo esse histórico, eu fiquei bastante surpresa em como minha dieta mudou para melhor depois que comecei o *Um ano sem lixo*. Eu cheguei a **emagrecer** (ou desinchar, nunca tive total certeza) um pouco depois que parei de comer industrializados e passei a comprar e preparar praticamente só alimentos *in natura*.

Escolha comidas frescas para cozinhar em casa. Assim, além de não trazer embalagens para casa, você economiza dinheiro e também come muito melhor, ingerindo menos açúcar, sal, gordura, conservantes, antioxidantes e todos os aditivos colocados em comidas processadas. **Fresco é melhor, sempre.**

Esse é o truque para você comer bem: se a comida veio dentro de uma caixa com uma lista de ingredientes muito grande, provavelmente não é saudável (e de quebra vai produzir muito lixo).

Não que eu alguma vez na vida tenha me importado com isso, sempre tive mais fome que qualquer coisa.

A IMPORTÂNCIA DOS ORGÂNICOS

Mas escolher o que a gente coloca na sacola e leva para comer em casa não é uma questão só das embalagens, mas também tem a ver com a origem do produto. Comprar produtos certificados orgânicos é importante porque é o jeito que nós, como consumidores, podemos mostrar para o mercado o que queremos. Produtos orgânicos são produzidos seguindo regras **bastante rígidas, exigidas pela certificação Selo Orgânico do Brasil,**[2] que incluem respeito aos produtores, garantia de mata nativa na propriedade do produtor e ausência de agrotóxicos e fertilizantes sintéticos no cultivo.

Os produtos orgânicos são mais caros que os convencionais, por isso nem todo mundo consegue comprar só essas opções ainda. Precisamos lutar por reforma agrária e por leis que viabilizem a chegada dessa produção para o consumidor final com um preço mais justo.

É mais que possível garantir para todo mundo comida plantada assim. Sistemas agroflorestais que imitam uma floresta com plantas de todos os tamanhos e tipos misturados, por exemplo, usam pouco ou nenhum agente pesticida porque as plantas fazem o controle naturalmente entre si. Parece mágica, mas é só a natureza mesmo e o homem sendo inteligente para usá-la a seu favor. A produção em uma plantação desse tipo também é mais eficiente em quantidade de comida por **hectare.**[3]

COMO FAZER COMPRAS A GRANEL SEM EMBALAGENS

Produzir menos lixo na hora de cozinhar e comer é mais do que possível e tudo começa na hora de comprar.

Ao fazer essa escolha, imagino que você vai comprar muito menos em mercados, porque as opções lixo zero nesses lugares são limitadíssimas ainda. E vai comprar muito mais em feiras livres e orgânicas, empórios e lojas de produtos naturais e a **granel**. Mas mesmo nos mercados comuns existem opções para voltar para casa sem saquinhos, caixinhas e outras embalagens. Eu já vou ensinar você a fazer tudo isso.

Fazer compras a granel é muito fácil e muito bom também. Você deixa de produzir o lixo das embalagens das comidas levando os seus próprios recipientes de vidro ou embalagens de pano. Chegando em casa, tudo já está guardadinho – no caso dos potes de vidro, é só colocar na despensa. Você ainda escolhe a exata quantidade do que precisa. Essa também é uma maneira de comprar só o necessário, usar tudo o que tem e não gerar desperdício de comida, além de economizar dinheiro. E, claro, se alimentar muito melhor.

Além de produzir menos lixo, comprar comida assim tem várias vantagens:

Comer mais comida de verdade;
Cozinhar mais em casa;
Economizar dinheiro comprando só o que você realmente precisa naquela semana;
Economizar tempo indo fazer compras só uma vez por semana;
Descobrir um montão de coisas diferentes daquelas que você estava acostumado a comprar.

Pode não parecer, mas tem muitas dessas lojas em quase toda cidade do Brasil. Pesquise na internet ou pergunte para o atendente da padaria ou do mercado. Você vai se surpreender.

O QUE VOCÊ PRECISA PARA FAZER COMPRAS A GRANEL

SAQUINHOS DE PANO DE VÁRIOS TAMANHOS

Você pode mandar fazer em uma costureira reutilizando tecidos que tiver em casa ou usar esses que vêm com sapato, sabe? O legal é que eles sejam bem levinhos para você dispensar a pesagem dele e agilizar as compras.

Podem ser usados para comprar chás, castanhas, cereais, grãos como feijão e arroz, frutas e verduras, bolachas, salgadinhos, pão.

POTINHOS DE VIDRO

Reutilize potes de geleia, molho de tomate e azeitonas, mas invista em potes maiores também. Os potinhos precisam estar limpos e ter tampa. Como eles são pesados, eu levo só quando vou em uma loja a granel perto de casa, senão fica difícil trazer as compras do mês.

Podem ser usados para comprar de tudo, mas eu sugiro priorizar as coisas que são em pó e ruins de serem colocadas em saquinhos de pano como: farinhas, açúcar, temperos muito fininhos e ervas secas. Ao chegar em casa, já está tudo pronto para ser guardado no armário.

UMA ECOBAG GRANDONA

Deixe sempre uma sacola retornável na bolsa. Na hora de fazer compras, é só carregá-la com seus saquinhos de pano e potes de vidro.

FUNIL

É bom para ajudar o atendente da loja a colocar as coisas em pó nos seus potinhos, porque os pegadores da loja costumam ser muito grandes. Pode ser bem útil para agilizar o processo e ganhar um pontinho com os atendentes na sua loja a granel preferida.

CANETA PARA MARCAR NO VIDRO O QUE VOCÊ PRECISA

Se você tiver uma caneta que escreve em CD, pode usar para escrever nos vidros o que pretende comprar. Assim você dispensa a lista de papel que viraria lixo e também diminui a ansiedade principalmente nas primeiras idas à loja a granel.

PASSO A PASSO PARA FAZER COMPRAS SEM EMBALAGEM

COMO COMPRAR FRUTAS, VERDURAS E LEGUMES SEM USAR NENHUM SAQUINHO PLÁSTICO

1. Vá até o mercado ou feira com seus saquinhos a postos. Prefira saquinhos mais transparentes, feitos com tecido tipo voal, facilita um bocado.
2. Encha os saquinhos com o que você quer comprar.
3. Pese e pague!
4. Chegue em casa e guarde tudo na fruteira ou na geladeira. Prontinho. Guarde os saquinhos para a próxima compra.

PARA COMPRAR CEREAIS, MACARRÃO, BOLACHAS, TEMPEROS E CHÁS, VÁ ATÉ UMA LOJA QUE VENDA ESSES PRODUTOS A GRANEL

1. Leve a quantidade de saquinhos ou potinhos de vidro necessária para carregar todos os itens que você vai comprar.

É legal se planejar antes de sair de casa, olhando para as coisas que você já tem.

2. Diga para o atendente que você gostaria de colocar suas compras nas suas próprias embalagens.
3. Comece a pedir os produtos (aveia, feijão, chia, linhaça, castanhas, chá de camomila, canela, curry, pimenta) e vá dando os saquinhos de pano.
4. Se o atendente ficar meio confuso, explique: é só colocar o saquinho ou o potinho de vidro vazio na balança, clicar no botão "tara", que zera o peso, e aí vai pesar só o que você estiver comprando. Simples assim.
5. As etiquetas com os valores você pode ir colando em cada potinho ou saquinho mesmo. Quando você chegar em casa é só colocar as etiquetas na composteira (veja mais informações na página 46), se elas forem de papel, que vão se decompor.
6. Chegando em casa, é só guardar os potinhos de vidro nos seus devidos lugares e transferir o

conteúdo dos saquinhos para potinhos bem vedados. Eu costumo escrever com uma caneta no vidro o nome do produto e a data da compra, para lembrar de consumir no prazo certo.

PARA COMPRAR PÃO NA PADARIA

É só levar o saquinho de pano na padaria com sistema self-service, colocar os pães lá dentro e ir pesar.

O QUE COMPRAR NOS MERCADOS COMUNS

Como não é possível comprar tudo a granel sempre, você talvez precise comprar macarrão, azeites e óleos, molhos e vinagres, alguns tipos de farinhas ou grãos em supermercados comuns, onde todas as comidas são embaladas. Quem tem alguma alergia alimentar, como os celíacos, também não pode comprar em lojas a granel para não comer nada com contaminação cruzada. Não se sinta culpado, saúde tem que vir antes nesse e em todos os casos.

Então, se não houver jeito e o mercado comum for a solução, adote certas práticas que já podem começar a fazer a diferença, como preferir produtos embalados com materiais puros e sem adesivos, que podem ser mais facilmente reciclados, como vimos na introdução.

Frutas, verduras e legumes podem ser comprados sem os saquinhos de plástico. Para os mercados com balança no caixa é só levar tudo soltinho para que seja pesado lá na frente. Para mercados que possuem balança na área do hortifruti, leve saquinhos de pano. Nesse caso, eu recomendo usar saquinhos de voal ou algum tecido bem levinho e com certa transparência, para evitar problemas.

Muitos mercados pelo Brasil também são Pontos de Entrega Voluntária (PEV) de lixos especiais ou recicláveis. Uma ida ao mercado pode garantir o destino adequado de resíduos secos, pilhas e baterias, eletrônicos, lâmpadas. Confira nas lojas em que você costuma ir. Se não forem PEV, faça a sugestão.

No capítulo Saindo de Casa, eu falo um pouco de como incentivar estabelecimentos a terem políticas de logística reversa (página 230).

Evite comprar comidas prontas com embalagens que ficam sujas com o resíduo do alimento, já que elas precisam ir para o lixo comum. Embalagens de isopor e caixas de leite longa-vida são recicláveis, como vimos na página 11, mas são de difícil retorno e por isso eu evito ao máximo. Evite também comprar frutas ou verduras descascadas e embaladas em plástico, é um desperdício tirar a casca natural daquele vegetal e colocá-lo em um resíduo tão problemático. Reclame com a gerência do mercado, mostrando que não aprovamos esse tipo de conduta. É só quando a gente se une e reclama que as coisas mudam!

UMA VIDA SEM LIXO

A INDÚSTRIA DA CARNE É A QUE MAIS POLUI NO MUNDO

Comer é um ato político. Você provavelmente já ouviu isso alguma vez e eu não vou ser a última pessoa a dizer isso para você. E é a mais pura verdade. Comer é uma necessidade básica, é algo imprenscindível para a nossa existência. É o que faz nosso corpo seguir vivendo, trabalhando, amando, se relacionando, pensando, lendo, se divertindo. É o que protege de certas doenças e cura outras. Comer é muito importante e por isso o que você come diz para o mundo o que você apoia.

E é por isso que precisamos parar de comer animais. A indústria da carne é a que mais polui no mundo. Sério mesmo. Não é um chute no escuro, é fato atrás de fato. Se você quer ser mais sustentável, lutar para que o consumo de carne diminua é uma das melhores coisas que pode fazer. Se ainda come carne, leia esta parte do livro com a cabeça aberta.

A indústria da carne é responsável por 18% de toda a emissão de gases do efeito estufa, mais que todos os **meios de transporte juntos.**[4] Isso acontece, em parte, por causa dos gases que os animais produzem naturalmente no seu processo de digestão. Um dos gases mais comuns desse processo é o metano, que é de 25 a 100 vezes mais nocivo que o CO_2 em um período de vinte anos na **atmosfera.**[5]

Além dos gases, também os dejetos desses animais muitas vezes não são tratados antes de serem jogados em rios e oceanos. É tanto cocô que existem regiões oceânicas desertificadas porque as espécies de animais que antes viviam ali morreram com a poluição.

As grandes lavouras de soja e milho que destroem florestas nativas como a nossa Amazônia e vegetações como o cerrado são, em sua maioria, para produzir ração para os animais de abate. Esse desmatamento aumenta a extinção de espécies e a destruição do habitat natural de outros animais, além de matar o solo, impedir a sobrevivência de nascentes de água, entre muitas outras coisas.

Isso sem contar na quantidade absurda de água usada para a criação animal. Estima-se que sejam usados **15.000 litros de água para apenas 1 quilo de carne**. Não teve erro de digitação, são 15.000 mesmo. Quando você come um hambúrguer de carne, você gasta uma quantidade equivalente a **dois meses de banho para uma pessoa adulta.**[6]

Quem pensa que peixe está fora desse problema se engana. A pesca industrial é supernociva para a biodiversidade marinha, porque são metros e metros de rede jogados no mar que acabam pegando muitas outras espécies junto com os peixes. Vários animais morrem nesse processo, a maioria tartarugas e golfinhos, que precisam sair da água para respirar e, ao ficarem presos em redes, acabam morrendo afogados. É triste demais.

Eu poderia ficar aqui por páginas e páginas citando os problemas causados no mundo por causa da criação de carne em nível industrial. Mas faltariam páginas, já que basicamente qualquer problema ambiental sobre o qual ouvimos falar pode estar relacionado com a criação de animais para o consumo humano. Gases do efeito estufa, poluição de água potável, desmatamento, diminuição da biodiversidade, acidificação dos oceanos, aumento da temperatura do planeta, descongelamento das geleiras, diminuição da quantidade de água potável...

Para mim, tão importante quanto tudo isso é a questão ética e moral sobre comer animais. Esses bichos são criados em espaços confinados, comem rações enriquecidas com todo tipo de coisa para que seu crescimento seja mais rápido, não veem sequer a luz do dia para virarem coxa, sobrecoxa, cupim, filé mignon, bacon. Quando a gente compra carne nem lembra que aquilo antes era um animal porque é justamente isso que a indústria faz: nos dessensibiliza.

Eu não parei de comer carne porque não gostava do sabor. Eu parei de comer carne porque não fazia mais sentido continuar comendo animais que sofreram e contribuir para uma indústria que considero violenta e agressiva. Se você tem dúvidas, é só pesquisar os ataques aos ambientalistas em regiões onde cada dia mais cresce o desmatamento para plantação de soja, milho ou criação de gado. É só ver como é a vida das galinhas, das vacas e dos porcos.

Você pode decidir do dia para a noite parar de comer carne e seus **derivados**. Ou pode ir diminuindo aos poucos esse consumo. Seja como for, acho que é importante ter mais consciência do que se está comendo. Olhe para sua comida e pergunte: "Quem eu estou apoiando ao comer isso?". Se você não concorda com quem está apoiando, o caminho é simples: é só se servir de outras coisas.

É importante colocar na conta os derivados animais como laticínios, ovos, mel, couro.

PARE DE JOGAR COMIDA FORA!

Desde pequena, jogar comida fora é algo muito errado para mim. Nem sempre eu estou com vontade de terminar o que me servi ou preparei, mas me esforço ao máximo para comer tudo. Essa preocupação tem um objetivo: fazer toda a energia e o dinheiro gastos para que aquele alimento chegasse à minha mesa valerem a pena. Cerca de 1,3 bilhão de toneladas de alimentos são perdidos e desperdiçados por ano no **mundo,**[7] o equivalente a 24% de todos os alimentos produzidos para o consumo humano.

Aqui no Brasil, o grande desperdício não está nos lares, mas no transporte e na produção. Isso tem muito a ver com nosso sistema rodoviário e nossa renda média. Muita comida se perde porque o país é imenso e os alimentos viajam por estradas ruins, atravessando milhares de quilômetros, mas não se perde tanta comida em casa porque, na média, não temos dinheiro para desperdiçar. É exatamente o oposto do que acontece nos países mais desenvolvidos, em que os sistemas de transporte são melhores e as pessoas podem comprar mais, desperdiçando muito mais comida em casa.

Mas independentemente de como a comida é desperdiçada, estamos jogando muita coisa fora: água que serviu para irrigar a plantação; adubo usado para a planta produzir; esforço humano na plantação e colheita; combustível usado no transporte dessa comida até chegar na sua casa; energia usada para manter esse alimento em bom estado até chegar a você no mercado, nos caminhões refrigerados. Deu para ver que além de uma questão ética, jogar comida fora também é uma questão de sustentabilidade? É por isso que a partir de hoje você vai comprar menos, melhor, guardar tudo direitinho e aproveitar até o talo – literalmente – tudo o que comprar. Continue lendo e entre no mundo mágico da cozinha que vai deixar de produzir metade do lixo da sua casa para produzir comidas nutritivas e criativas.

COMPRE MENOS COMIDA

Se você for até sua cozinha agora e abrir sua geladeira e seu armário, as chances são grandes de achar comidas vencidas. Isso acontece muito porque a gente compra comida demais. Demais porque ainda fazemos compras pensando em estocar para um período muito longo, e demais porque os pacotes pequenos nos mercados muita vezes são muito grandes para quem cozinha pouco ou mora sozinho.

Comprar comidas a granel é muito útil para reduzir esse desperdício. Se a receita de bolo pede 150 gramas de farinha, você pode comprar exatamente essa quantidade

e não 1 quilo. Dessa forma, você usa tudo o que tem em casa e as chances de as coisas estragarem são menores. E reduzir o desperdício de alimentos respeitando toda a sua cadeia de produção também significa economizar bastante dinheiro. Afinal de contas, se você comprou algo e ele foi para o lixo, o dinheiro que você gastou com aquilo foi junto.

GUARDE BEM PARA NÃO DESPERDIÇAR

Um dos pontos-chave para uma cozinha que produz menos lixo é saber armazenar direitinho a comida. Desse jeito você vai saber o que tem na despensa, usar tudo até o final e garantir uma vida útil melhor para o que comprou.

GUARDE EM POTES DE VIDRO

Você pode levá-los diretamente para as lojas a granel ou deixar para colocar a comida neles quando chegar em casa. O que importa é que eles precisam vedar bem. Prefira os transparentes para saber o que tem dentro e não esquecer nada na despensa. Os potes

de vidro também são bons porque impedem a proliferação de pragas. Se a comida estiver contaminada (pode acontecer nas melhores famílias), os bichinhos não vão conseguir furar o pacote e iniciar uma infestação, já que o vidro é bem mais duro que um saquinho de plástico. Reutilize potes de vidro de embalagens de comida e seja ainda mais sustentável. Aproveite para escrever no vidro a data da compra e a validade, assim você não esquece se aquela farinha é de um ou seis meses atrás.

USE SUA GELADEIRA

Manter vegetais – principalmente frutas e verduras – na geladeira é essencial para que eles durem mais. Deixe tudo sempre à mostra para que você não esqueça o que tem.

Faça uma lista do que você tem e deixe pendurada na geladeira: Essa é uma dica boa para quem tem família grande e, consequentemente, uma despensa grande. Faça uma listinha dos itens que você tem na despensa na hora em que voltar das compras e antes da próxima saída, assim você não se confunde e compra duas vezes o arroz.

Guarde temperos como flores na geladeira: Guarde alguns vegetais, como cenoura, alho-poró e salsão, e alguns temperos, como salsinha e cebolinha, como se fossem flores – em um copo ou pote com água – na geladeira. Eles permanecem bonitos por mais dias. Nunca mais você vai pegar uma cenoura mole da geladeira.

Lave e seque suas folhas: O melhor jeito de guardar sua salada é lavando as folhas, secando-as muito bem (use uma centrífuga de salada, é baratinha e tem em todo mercado) e guardando em um pano ou pote. Se guardar em um pote fechado, coloque no fundo dele um paninho para absorver a umidade.

CONGELE PARA DURAR MAIS

Eu sou superfã do congelador. Uso muito pela praticidade, mas também para evitar que as comidas estraguem quando faço pratos grandes e não sei se vai dar tempo de comer tudo.

Você pode congelar comidas preparadas para comer aos poucos, como é o caso do feijão, do grão-de-bico, da lentilha. Coloque em potinhos de vidro bem tampados, sempre deixando um espaço para o líquido não transbordar. Tire do congelador um dia antes de comer e deixe na geladeira. Seu feijão vai estar pronto e fresquinho.

Outros pratos como lasanhas, tortas e quiches também podem ser congelados. Eu prefiro colocar em potes menores, em porções que sirvam uma ou duas refeições, para não correr mesmo o risco de estragar.

Temperos são ótimos para guardar congelados. Pique bem, coloque em um potinho e toda vez que precisar, pegue no congelador e use do jeito que quiser dando uma raspadinha na camada congelada. Eles ficam quase iguais aos frescos e assim você não joga aquele maço de salsinha fora porque só usou um pouquinho. Dá para fazer com salsinha, cebolinha, orégano, tomilho, alho-poró, coentro, salsão.

Quando as frutas estão muito maduras e você acha que não vai conseguir comer tudo a tempo, uma alternativa maravilhosa é congelar a polpa. Você pode fazer isso com várias frutas, como maracujá, banana, morango, manga, goiaba, maçã. Corte a fruta, bata no processador e congele em forminhas de gelo. Depois, guarde em potinhos no congelador. Essa polpa é ótima para fazer sucos, *smoothies*, vitaminas e pode até servir de lanche – congelada mesmo – em dias de calor. Se estiver com preguiça, pode só cortar a fruta em pedaços e congelar assim mesmo. Também funciona.

A banana congelada é a base perfeita para um **sorvete vegano:** processe com outras frutas congeladas e adicione um pouco de leite vegetal até ficar cremoso.

Minha receita preferida de picolé desde que sou criança é bater uma manga com um pouco de água no liquidificador e colocar em forminhas de picolé. Não precisa de açúcar, não precisa de mais nada. Dá pra misturar com outras frutas como maracujá para ficar mais ácido ou banana para ficar mais doce.

NÃO JOGUE AS CASCAS FORA!

As cascas dos legumes são muito ricas em nutrientes, muitas vezes mais que a polpa. Por isso faz todo o sentido que a gente coma essa parte em vez de descartar. Abóbora, batata, cenoura e muitos outros legumes podem ser comidos com casca sem prejuízo de sabor. Além de dar muito menos trabalho na hora de cozinhar – praticidade é importante quando cozinhamos muito em casa.

CHIPS DE CASCAS

Quem preferir não comer as cascas com os legumes, pode fazer chips com essas tirinhas. É só fritar em uma frigideira ou assar no forno com bastante óleo e fogo bem alto até ficar crocante.

CHÁ DE CASCAS DE ABACAXI

Ferva as cascas de abacaxi por cerca de 30 minutos em água suficiente para cobri-las. Se quiser deixar mais refrescante, adicione umas folhas de hortelã fresca. Essas cascas também podem virar um vinagre lixo zero e super fácil de fazer. Tem receita na página 155.

COZINHA

CASCAS DE FRUTAS CÍTRICAS

Você pode raspar a casca da laranja, de limão e de tangerina antes de espremer ou comer essas frutas. Coloque essas raspinhas para secar e adicione em bolos e outras receitas. Outra ideia é misturar com pimenta e sal (uma parte de cada) para fazer o tempero chamado *lemon pepper* naturalmente. Também são ótimas para aromatizar vinagre, como você ainda verá neste livro.

CALDO DE CASCAS DE LEGUMES

Algumas cascas não são legais de comer como a casca da cebola e do alho. Mas dá para usá-las para fazer um caldo de legumes gostoso e rico em nutrientes. Você só precisa guardá-las em um pote ou saquinho e manter no congelador até ter uma quantidade suficiente. Depois, é só cobrir com água em uma panela e ferver por cerca de 40 minutos. Use esse caldo em sopas, risotos, no lugar da água de cozimento, para fazer molhos e outras coisas. Vai ter muito mais sabor e muitos nutrientes a mais.

CARNE LOUCA DE CASCA DE BANANA

Parece que não, mas as cascas de banana são ótimas para fazer um refogado salgado vegano. Elas ficam com uma textura parecida com carne desfiada por causa das fibras e, se bem temperadinhas, no ponto certo para um sanduíche gostoso.

INGREDIENTES

- Cascas de 4 bananas-prata ou bananas-nanica
- 1 cebola picada
- 2 dentes de alho picados
- 2 pimentões pequenos cortados em cubinhos
- 1 cenoura ralada
- Sal, cominho, louro, pimenta-do--reino e páprica picante a gosto
- 1 colher (sopa) de molho de soja
- 1½ xícara de molho de tomate

1 Desfie as cascas de banana com um garfo. Corte em duas ou três partes para não ficar tão comprido. Reserve. 2 Em uma panela, refogue a cebola e o alho até ficarem levemente dourados. 3 Adicione as cascas de banana e cozinhe por cerca de 5 minutos. 4 Adicione os pimentões, a cenoura e os temperos. Deixe dourar por cerca de 3 minutos. 5 Adicione o molho de tomate e um pouquinho de água caso fique muito seco. Deixe cozinhando por cerca de meia hora, conferindo sempre para não secar ou queimar. 6 Sirva com pães torradinhos para fazer uma bruschetta, como recheio de um sanduíche ou com arroz e feijão. *Nham!*

GELEIA DE FRUTAS MADURAS

Se o seu estoque de frutas congeladas já está alto, você pode fazer geleias muito gostosas com frutas maduras. Uma das vantagens é que geleias naturais têm menos açúcar que as industrializadas. Além disso, você vai poder aproveitar as cascas em algumas receitas.

INGREDIENTES

2 xícaras de frutas cortadas em pedaços pequenos
1 colher (sopa) de açúcar (opcional)
Suco de 1 limão

UTENSÍLIOS

Processador (opcional)

1 Coloque os pedaços de fruta ou a fruta processada com o açúcar e o suco de limão em uma panela. **2** Leve a panela ao fogo baixo e mexa bem por 30 minutos ou até que fique em consistência de geleia.

DICAS

Frutas maduras já são naturalmente mais doces, por isso eu evito adicionar açúcar e minha geleia fica mais saudável. Você pode usar cascas de jabuticaba, maracujá, laranja, bergamota e maçã nas geleias também (a maçã é boa porque ajuda a geleia a encorpar). Eu gosto de processar ou bater no liquidificador para que o preparo fique mais homogêneo, mas se você gosta de pedacinhos pode só cortar com a faca mesmo.

CRIATIVIDADE NA COZINHA

USE TALOS, FOLHAS E OUTRAS PARTES NÃO TÃO NOBRES DE VEGETAIS

Folhas de salada murchinhas normalmente vão para o lixo porque não sabemos o que fazer com elas. Você pode parar de fazer isso agora. É só refogá-las com um pouco de cebola, alho e tomates para servir com pão. Rúcula cai bem com risotos e macarronadas também.

Talos nem sempre precisam ser jogados fora. Eu como todos aqui em casa. O segredo é cortar em tamanho menor para que fiquem tão macios quanto as partes mais nobres. Faço isso com aspargos, brócolis e couve-flor.

Se a receita pedir só a parte mais nobre do legume, não esqueça que o talo pode ser cortado em pedacinhos e usado para outra receita, como farofas.

USE RESTOS DE COMIDA EM OUTRAS RECEITAS

Arroz, legumes grelhados, abóbora e batata cozidas são ótimos ingredientes para hambúrgueres vegetarianos. Basta amassar e misturar com um pouco de farinha e temperos. Assim você ganha um prato diferente quando já cansou de comer a mesma coisa a semana toda.

LEITE VEGETAL + PÃO E BOLO

Desde que eu descobri como fazer leite vegetal em casa, prefiro mil vezes a ter que comprar leite de vaca por vários motivos: pela inflamação provocada pelas proteínas do leite no nosso organismo (sendo intolerante ou não, tanto faz; leite não é facilmente digerido e ajuda a inflamar as **mucosas),**[8] pela embalagem (já que parei de comprar caixas de leite) ou porque é mais gostoso mesmo.

Nesta receita, da minha amiga **Flávia Schiochet**, além do leite a gente sai com uma receita de bolo de lambuja. Mas, como na primeira vez que fiz sobrou um pouco de bagaço de castanhas mesmo depois do bolo, fiz um pão para aproveitar tudo. Assim temos zero desperdício.

A Flávia é repórter de comida e tem dois blogs muito maravilhosos, o *Tô puta e vou cozinhar* e o *Verdura sem frescura*. São basicamente receitas vegetarianas e veganas com um texto de apoio divertido e informativo. Aprendi muito sobre comida com ela e acho que você vai gostar e aprender também.

LEITE VEGETAL

INGREDIENTES

1 xícara de castanha (fiz de amêndoas)
4 xícaras de água morna ou quente

1 Coloque as castanhas para hidratar com uma das xícaras de água por, no mínimo, 8 horas. 2 Bata as castanhas hidratadas, no liquidificador, por alguns minutos até formar uma pastinha cremosa e vá adicionando o restante da água até o líquido ficar branquinho. 3 Coe com uma peneira fina e guarde o bagaço para as próximas receitas.

BOLO DE CASTANHAS

INGREDIENTES

1 xícara do bagaço do leite vegetal

1 xícara do leite vegetal

2 xícaras de farinha de trigo

1 xícara de açúcar

1 colher (sopa) de fermento químico em pó

UTENSÍLIOS

Assadeira

---

1 Misture tudo e leve ao forno preaquecido a 200 ºC. Demora cerca de 30 minutos para ficar pronto. Fica molhadinho e talvez abatume dependendo da castanha usada (dos que fiz o de amendoim abatumou, mas o de amêndoas ficou fofo e lindo).

PÃO DE CASTANHAS

INGREDIENTES

300 g de farinha de trigo

300 ml de iogurte natural

1 xícara do bagaço de castanhas (usei 1 xícara, mas se sobrar menos não tem problema)

1 colher (chá) de bicarbonato de sódio

1 colher (chá) de sal

1 colher (chá) de açúcar

UTENSÍLIOS

Assadeira

---

1 Misture tudo, sove um pouco a massa (pode ser só com a colher mesmo) e molde-a em forma de bola. Coloque em uma assadeira. 2 Asse por 15 minutos a 250 ºC e, depois, por mais 30 minutos a 200 ºC.

O LIXO QUE VIRA ADUBO DENTRO DE CASA

Já falei por aqui que mais da metade do lixo produzido nas casas vem da cozinha: os restos de alimentos. O chamado lixo orgânico, como restos de cascas e sobras de frutas e verduras, restos de comida e tudo o que seja perecível não precisa ficar apodrecendo na sua cozinha! Tudo o que você precisa é ter uma **composteira doméstica**.

O segredo é que, desse jeito, não fica cheiro ruim (sério!). Na lixeira da nossa cozinha o lixo se decompõe por meio de bactérias, sem oxigênio (de forma anaeróbica), por isso o cheiro fica ruim. Uma composteira nada mais é que um lugar apropriado para que a decomposição desses resíduos aconteça. Nela, a decomposição ocorre do jeito adequado, com oxigênio, com a ajuda de minhocas ou do calor e, se fizer tudo direitinho, sem cheiro ruim.

Reduzir o lixo da cozinha, ter um adubo maravilhoso, fácil e sempre à mão, manter uma horta superbonita: dá para ter tudo isso com uma composteira em casa. Existem vários tipos de composteiras, mas o mais recomendado e usado hoje é a com minhocas (sim, minhocas!).

COMO FAZER UMA COMPOSTEIRA SE VOCÊ MORA EM UMA CASA

Quem morou no interior ou sempre morou em casa provavelmente vai se lembrar de um lugarzinho onde o lixo orgânico sempre foi jogado. Na casa dos meus avós era em um espaço da horta reservado só para isso. Apesar de funcionar (as cascas vão se decompor, a natureza vai se encarregar delas), existem técnicas para fazer com que o processo seja

UMA VIDA SEM LIXO

mais rápido, para evitar cheiros ruins e não atrair animais.

1. Faça um buraco na terra, de cerca de pelo menos 0,5 metro quadrado. Se a família for grande, você pode fazer dois e, enquanto um descansa, vocês enchem o outro. Ou fazer um grandão, de 1 metro quadrado. Uns 30 centímetros de profundidade é suficiente. Para ajudar a segurar as paredes de terra, você pode colocar tábuas nas laterais ou uma caixa sem o fundo (tipo uma caixa d'água, um caixote, algo que segure as laterais, mas dê acesso ao chão). Também dá para fazer cercando uma área em contato com a terra com cerca de arame, tábuas ou troncos.

2. Coloque o material orgânico e não espalhe muito. Vá concentrando em um cantinho até encher o espaço. Sempre cubra muito bem com folhas secas ou serragem (é esse o segredo para o cheiro ruim não aparecer).

3. Regue de vez em quando se fizer muito calor ou bater muito sol, porque a mistura pode esquentar e secar. É bom manter úmido para a decomposição acontecer mais rapidamente.

4. A cada 15 dias, dê uma revirada em todo o material, para ajudar a aerar e facilitar a decomposição.

5. Aos poucos, as sobras de alimento vão se transformar em uma terra bem escura, com cheiro de terra molhada. Esse adubo é maravilhoso para as plantas e para a sua hortinha!

É legal ter dois espaços diferentes porque enquanto um vai passando por esse processo de decomposição, o outro está com a terra pronta para ser usada. Você pode desocupá-lo e ter espaço para colocar mais matéria orgânica.

Se você não tiver espaço para cavar um buraco no quintal, ainda dá para ter a **composteira com minhocas** em um sistema prático de caixas plásticas. Siga lendo, é o próximo assunto.

COMO FAZER UMA COMPOSTEIRA EM APARTAMENTO

Um dos sistemas de **composteira doméstica** mais famosos hoje é a **composteira com minhocas**. Isso porque ela é pequena, não tem cheiro ruim, cabe em quase qualquer cantinho, como a área de serviço, e a decomposição acontece mais rápido com a ajuda desses bichinhos. Esse tipo de composteira é ótimo para quem mora em apartamento ou quem mora em casa e não pode fazer um buraco no quintal, como no método que expliquei anteriormente. Quase tudo o que a gente produz em casa pode ir nela (veja dicas a partir da página 52). Existem composteiras prontas que já vêm com as minhocas, mas você pode fazer a sua usando caixas ou baldes de plástico.

Uma composteira com minhocas precisa de, no mínimo, três andares: o andar do topo, onde o lixo orgânico vai sendo depositado e coberto com o material seco (serragem e folhas secas) que, quando cheio, deve ficar em repouso por cerca de um mês.

Durante esse tempo de repouso, o andar do meio vira o do topo e começa o ciclo de novo. Esses dois andares são onde acontece a compostagem do material. O andar de baixo é o que recolhe o líquido que escorre (os andares são intercalados com furinhos para o líquido cair e as minhocas se movimentarem).

No final desses dois meses, o chamado período de repouso, o material que sobra é um húmus que parece terra, supernutritivo para as plantas e com cheirinho de terra molhada. Nada disso dá mau cheiro se tudo for feito corretamente.

O excesso de umidade pode facilitar a criação de mosquinhas, por isso é importante cobrir tudo muito bem com serragem. Além das minhocas, acabam aparecendo outros bichinhos pequenos, como formiguinhas e outros insetos, que também ajudam no processo de decomposição dos alimentos. É tudo limpo e, seguindo todas as etapas, não há risco nenhum de contaminação.

COMO FAZER UMA COMPOSTEIRA COM BALDES

Escolha três baldes ou caixas plásticas que tenham algum tipo de encaixe entre si. Algumas caixas organizadoras se encaixam na parte de cima, assim como os baldes de margarina industrial, para serem fáceis de empilhar. Essa é uma outra opção muito legal, você pode perguntar em uma padaria perto de casa e reaproveitar. É só lavar bem! As caixas ou os baldes precisam ser opacos, porque as minhocas não gostam de luz. O tamanho vai depender de quantas pessoas moram na sua casa. Estimamos que a produção desses resíduos é de cerca de 1 quilo por semana por pessoa. Como além do lixo em si também colocamos muitas folhas secas ou serragem, calcule para mais esse volume. Esse sistema que estou apresentando, com três baldinhos reutilizados, é suficiente para duas pessoas que não cozinham muito.

Com uma furadeira, faça vários furos de cerca de 0,5 a 1 centímetro de diâmetro – não mais que isso! – no fundo de dois dos três baldinhos, deixando de dois a três centímetros de distância entre os furos. É por eles que o líquido da composteira vai escorrer e as minhocas vão mudar de andar.

Você pode deixar sua composteira mais profissional se conseguir colocar uma torneirinha na caixa de baixo, que fica coletando o chorume do bem. Se não der, não tem problema. É só abrir a tampa para recuperar o líquido.

Prontinho! Agora, para começar a usar, você precisa de algumas minhocas. Não precisa ser muitas, porque elas se reproduzem conforme a necessidade. O ideal são minhocas californianas, que não pulam igual as nossas brasileiras e, como são maiores, comem os restos de alimentos mais rápido. Coloque uma camada de terra suficiente para cobrir o fundo do balde e as minhocas, e pronto.

BALDE DO TOPO
PARA O COMPOSTO

FAZER FURINHOS
NO FUNDO

BALDE DO MEIO
PARA O COMPOSTO,
REPOUSO

FAZER FURINHOS
NO FUNDO

BALDE DE BAIXO
PARA O CHORUME

SE QUISER,
COLOCAR TORNEIRA

COMO USAR A COMPOSTEIRA COM MINHOCAS

Para usar a composteira você deve colocar os restos de alimentos aos poucos. Não espalhe tudo, vá concentrando o lixo orgânico em cantinhos. Cubra muito bem com folhas secas e serragem. Não aperte ou comprima, deixe a mistura respirar porque ela precisa do oxigênio.

Siga colocando seus resíduos até que o baldinho que estiver em cima esteja cheio. O ideal é levar mais ou menos um mês para encher, assim dá tempo de ele virar adubo e você poder trocar pelo balde do meio. Nos primeiros meses, até por ter menos minhocas, a tendência é que a decomposição demore mais para acontecer. Você pode ajudar dando uma revirada no material a cada quinze dias (com cuidado para não machucar as minhocas). Quando estiver cheio, ele vai para o repouso.

Troque de lugar com o que estava no meio da pilha, vazio.

Quando esse baldinho (que estava no meio e foi para o topo da pilha) estiver cheio, depois de um mês ou mais, vai ser hora de trocar os andares novamente. Se tudo deu certo, o baldinho que estava no repouso agora tem um adubo especial e muito nutritivo, chamado húmus. Você só precisa retirá-lo para liberar o espaço.

Para retirar o húmus, deixe o pote com a tampa aberta em um lugar com bastante luz. As minhocas não gostam e vão se enfiando para dentro da terra. Vá raspando o adubo aos poucos, para não machucar e não levar embora as minhocas.

Na caixa fixa de baixo, vai começar a aparecer um líquido bem escuro. Ele é um biofertilizante poderosíssimo. Dilua cada parte do líquido em dez partes de água e use essa mistura para regar suas plantinhas uma vez por semana. Elas vão ficar **lindas**. É sério.

O húmus pode ser colocado em plantas, mas, caso sobre, você também pode doar, colocar nas plantas do condomínio, na praça que está feia perto de casa. **Revolução verde: teremos!**

DICAS PARA USAR BEM SUA COMPOSTEIRA (DE CASA OU APARTAMENTO)

Cuidar de uma composteira é bem fácil. Mesmo. Se você colocar o lixo orgânico do jeito que eu falei, metade dos seus possíveis problemas já se acabam aqui mesmo. Mas, como uma composteira é algo vivo (alô, minhocas amigas!), alguns desequilíbrios podem acontecer. As dicas a seguir são para evitar que isso aconteça, ou aconteça só raramente.

SEPARANDO AS CASCAS E OS RESTOS DE ALIMENTOS PARA A COMPOSTEIRA

A não ser que você tenha uma família grande e produza bastante lixo por dia, o melhor é juntar o lixo orgânico durante uma semana em um **pote com tampa** (pote de sorvete, sabe?). A tampa é importante para não juntar mosquinhas que colocam ovos e viram mais mosquinhas... uma bola de neve.

Mas, como você pode imaginar, o lixo vai apodrecer em uma semana ali dentro. Por isso, minha dica é: **deixe esse pote no congelador enquanto ele enche**. Assim, quando você for esvaziá-lo na composteira, seu lixo não vai ter apodrecido, não vai ter cheiro ruim, não vai atrair bichinhos e não vai atrapalhar o equilíbrio da sua composteira.

Depois é só colocar o lixo na composteira, esperar um pouco para ele descongelar, então ajeitar em um cantinho e cobrir bem com matéria seca (folhas secas ou serragem), como já vimos.

Outra coisa que vai facilitar a decomposição dos restos de alimentos é cortá-los em pedaços pequenos. Não é nada muito meticuloso, mas diminuir o tamanho das cascas ajuda um montão no processo.

TEM DIFERENÇA ENTRE USAR FOLHAS SECAS E SERRAGEM NA COMPOSTEIRA?

Tem sim! A serragem absorve melhor a umidade do composto, além de deixar mais espaços por onde o ar pode passar. Por isso, acho que o processo é mais rápido quando usamos serragem. Já usei folhas secas, mas senti que ficou muito úmido, teve mais mosquinhas e a decomposição durou um pouco mais. Isso não chega a ser um problema, mas é uma diferença. Uma boa ideia é misturar os dois. Você pode inclusive separar papéis rasgados e misturar com essa matéria seca (mas o papel tem que ser sempre em menor quantidade que a serragem e de preferência sem muitas impressões).

O QUE PODE E O QUE NÃO PODE IR EM UMA COMPOSTEIRA?

Algumas coisas têm passe livre, outras podem só de vez em quando e outras são proibidas de entrar numa composteira de minhocas.

O que pode à vontade, sem restrição: frutas, verduras, legumes, grãos, sementes, saquinhos de chá, erva de chimarrão, borra e filtro de café e cascas de ovos.

O que pode de vez em quando, com moderação: frutas cítricas, exceto o limão (você pode fazer desinfetante natural com as cascas, como na receita da página 166, ou usar as raspas como falei na página 39), laticínios, comidas cozidas, guardanapos e flores ou ervas medicinais.

O que pode raramente, em menos quantidade ainda que o grupo anterior: limão e temperos fortes (alho, pimenta, cebola).

O que não pode de jeito nenhum: carnes, líquidos (iogurte, caldos, sopas etc.), óleos e gorduras, fezes de animais domésticos e papel higiênico.

COMO TER UMA HORTA EM CASA

Uma das melhores maneiras de aproveitar o adubo da composteira é tendo uma horta em casa. Isso também é muito bom para ter sempre à mão temperos frescos e orgânicos, além de você poder ter plantas com funções terapêuticas como babosa, camomila, ora-pro-nóbis.

A boa notícia é que você pode morar em casa ou apartamento, qualquer espaço é possível para começar uma hortinha. O único requisito indispensável é que o espaço reservado pegue algumas horas de sol por dia.

COMO REPLANTAR ALHO-PORÓ, SALSÃO, CENOURA, ALHO, CEBOLA...

Esses temperos que não são "arvorezinhas", diferentes de hortelã e manjericão, por exemplo, normalmente crescem outra vez se você colocar a parte da raiz na água. Você pode fazer com alho-poró, salsão, cenoura, beterraba, cebola e alho. O segredo é **trocar a água todo dia**, para a raiz não apodrecer. Corte a parte que você vai comer, deixando um tanto para criar as novas mudinhas.

\# Coloque num copo com água e troque a água todos os dias.

\# Quando começar a crescer, você pode transplantar para um vaso com terra preta.

\# Depois disso, você precisa cuidar de acordo com as necessidades daquela plantinha. Veja quanto de água e sol ela precisa.

COZINHA

COMO REPLANTAR MANJERICÃO, HORTELÃ, ALECRIM, ORÉGANO, TOMILHO

Esses temperos são tipo arbustos e por isso a mudinha é feita de um jeito diferente. Pegue galhinhos com 10 a 15 centímetros e tire as folhas do comprimento, deixe só as mais de cima. Corte o caule perto de um nó (aquelas divisões do caule). Esse nó precisa estar no final do galhinho, porque é dele que vão surgir as raízes novas.

- # Depois de uns três dias na água, observe uma raiz de menos de 1 centímetro. Depois de uns dez dias, olha essas raízes!
- # Após uns sete dias, as raízes vão ter surgido e você pode colocar as mudinhas em um vaso com terra. Você pode deixar mais tempo também, o importante é não ser uma raiz muito pequena, senão ela vai ter dificuldade de nutrir a plantinha na terra.
- # Não enterre muito profundamente. Cerca de

2 centímetros abaixo da terra será suficiente. Regue para manter a terra úmida sem deixar que ela seque ao sol, conforme a necessidade da planta que você está fazendo a muda.

- # Uma coisa muito importante para essas mudinhas é não mexer mais na plantinha até que ela fique estável e cresça. Como ela é muito frágil nesse estado, precisa de um tempo até que cresçam mais raízes e ela realmente se fixe na terra. Pode demorar até um mês para você perceber seu crescimento.

COMO PLANTAR SEMENTES OU MUDAS MAIORES

Se forem compradas em lojas, as sementes normalmente vêm com instruções específicas na própria embalagem. Siga-as para dar certo. Se você comprar direto com alguém, pergunte o que o vendedor indica. Nunca enterre muito profundamente a semente, porque se ela nunca tiver contato com a luz do sol, não germina. O ideal é cerca de

1 centímetro abaixo da terra, variando se a indicação específica da plantinha for diferente.

Uma planta a partir de uma semente demora muito mais para ficar grande e bonita. Pode demorar meses, porque o processo é bem lento mesmo.

Depois que a planta germinar e tiver uns 10 a 15 centímetros, replante-a em um vasinho. Aí sim vale enterrar um pouco mais a raiz, para que ela se fixe bem.

Para as mudas maiores, que são fáceis de encontrar em floriculturas, monte um vasinho adequado pensando especificamente na planta. No final deste capítulo, tem uma lista com várias sugestões de plantas para ter em casa com as indicações específicas de tipo de substrato, luz e água.

COMO MONTAR UM BOM VASO

O segredo para a planta se desenvolver bem é ela ter uma boa morada. Ou seja, um bom vaso. Isso pode variar muito, tanto no material quanto na questão do espaço. O substrato adequado também é importante.

CAMADAS DO VASO

Apesar de variar conforme a planta em questão, o que gosto de seguir como via de regra é a seguinte ordem:

No fundo do vaso, disponha uma camada de argila expandida ou vela de filtro de barro moída. Também pode usar pedras. Essa camada serve para isolar a terra e receber a água que tenha sido usada em excesso no vaso, impedindo que a terra fique muito molhada e que a raiz da planta apodreça.

Acima da argila, coloque uma brita mais fininha para ajudar no escoamento da água.

Acima disso é importante ter uma camada que segure a terra. Eu gosto de usar pedaços de tecido de algodão de roupas que estragaram para reaproveitar esse material que normalmente não tem reciclagem. Você pode usar também musgo para fazer a separação, ele segura bem a terra e é totalmente natural.

Coloque a muda com o torrão de terra em cima dessa camada.

Vá preenchendo aos poucos os lados até a terra chegar na altura do torrão. Algumas plantas precisam de terra misturada com areia. Outras de terra bem preta. Varia de espécie para espécie.

Finalize o vaso cobrindo a terra com palha seca, folhas secas, cascas de árvore ou algum outro material orgânico seco. Essa cobertura da terra é importante porque a mantém úmida e evita que a água evapore facilmente, além de garantir matéria orgânica para a planta conforme esse material for se decompondo naturalmente. E também protege a terra que perde nutrientes quando fica em contato com o sol. Você precisa repor de tempos em tempos.

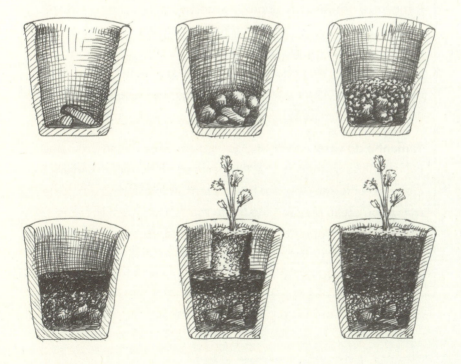

UMA VIDA SEM LIXO

TIPOS DE VASO

Furado com pratinho ou não: o furo nos vasos serve para que o excesso de água escorra e a terra não fique completamente encharcada. É bom para plantas que não precisam de muita água e preferem a terra menos molhada, como suculentas e cactos. Também é útil para plantas que precisam de muitas regas, para não sobrar sem querer um montão de água no vaso. Como a água escorre pelo furo nesse tipo de vaso, não recomendo para áreas internas para não molhar livros, móveis. E não se esqueça de colocar areia no pratinho para não virar um criadouro de mosquitos.

Vaso de barro: dos mais baratinhos de achar, tem vários tamanhos também. É um vaso bom porque absorve um pouco da umidade da terra, por isso ajuda a não deixá-la encharcada. Para as plantas que precisam de muitas regas e lugares muito secos pode ser ruim, porque vai exigir que você as molhe mais vezes do que se elas estivessem em um vaso totalmente impermeável, feito de material como metal ou plástico.

Tamanho do vaso: o tamanho do vaso depende do tamanho que a planta atinge quando adulta. Temperos como hortelã e manjericão crescem conforme o espaço que tiverem. Árvores como um pé de manga ou cacau precisam de muito mais espaço para as raízes. Quando você comprar uma mudinha pronta, escolha um vaso que seja capaz de comportar aquele torrão de terra e que ainda sobre espaço para você colocar mais.

CUIDANDO DAS PLANTAS

REGAS

Para não errar na hora de regar: coloque o dedo na terra. Se estiver seca, está na hora de molhar. Se estiver úmida, pode esperar mais uns dias. Algumas plantas como manjericão, hortelã e lavanda "bebem" muita água por dia, por isso você precisa regar todos os dias, salvo dias muito úmidos. Outras plantas, como suculentas, podem receber uma rega por semana. Como varia muito, o segredo é conferir todo dia a terra de cada vaso. Depois de um tempo, você vai saber a frequência ideal.

Para quem costuma matar plantinhas por esquecer de regar ou regar demais, eu recomendo criar alarmes no celular com a frequência que aquela planta normalmente precisa da rega. Assim você não esquece. E vá com calma: menos água é melhor que água demais. Se você vir que sua plantinha está ficando murcha no intervalo entre as regas, pode aumentar a quantidade de água que coloca no vaso.

SOL

O sol é muito importante para as plantinhas crescerem felizes e saudáveis. Apesar de esta seção do livro sobre horta estar no capítulo da cozinha, esse raramente é o cômodo ideal para se ter uma hortinha. Como a maior parte dos temperos gosta de muitas horas de luz direta do sol (quando ele encosta nas folhas), escolha as janelas como o melhor lugar para os seus vasos.

Você pode pendurar no teto e ter vasos suspensos na frente da janela, instalar uma prateleira na altura do parapeito, colocar um móvel que fique na altura dela ou usar sua sacada ou floreira para cultivar suas plantas.

Se na sua casa não bate sol em nenhum lugar, escolha plantinhas que gostam de viver em meia-sombra. Isso significa que elas gostam de ambientes iluminados, mas não de sol direto nas suas folhas. Essas vão se dar bem espalhadas pela sala e nem precisam estar tão perto da janela.

ADUBO

Se você tem uma composteira, pode manter as plantas felizes com nutrientes usando uma parte de chorume do bem para dez partes de água para regar a cada quinze dias, mais ou menos.

A cada seis meses é legal tirar a terra do vaso e colocar um novo substrato, enriquecido com o húmus que também veio da composteira. Assim a planta continua absorvendo nutrientes.

PODAS

É importante podar de vez em quando para que a planta seja estimulada a crescer mais. Como a ideia é que você use essas plantinhas para comer, a hora de colher tem que ser feita como se você estivesse podando a plantinha. Corte galhinhos sempre rente a um nó, assim a planta cresce a partir dali com dois novos galhos. Colha folhas mais velhas, como no caso da babosa, cortando bem rente à estrutura. Em plantas que crescem circularmente, corte a parte de fora, que é mais antiga, deixando as folhas e galhos novinhos no meio para que eles cresçam.

PLANTAS PARA UMA HORTINHA GOSTOSA E SAUDÁVEL

ALECRIM

Uso: temperos e chás, ótimo para controle de caspa e como estimulante do couro cabeludo.
Luz: luz direta por pelo menos quatro horas diárias.
Água: manter o solo úmido.
Substrato: vasos médios de 40 centímetros com terra preta misturada com húmus.

ALHO-PORÓ

Uso: refogado com legumes, como recheio de quiches e tortas.
Luz: luz direta por pelo menos quatro horas diárias.
Água: manter o solo úmido sem encharcar.

Substrato: solo bem drenado rico em matéria orgânica. Misturar uma parte de terra para uma de húmus.

BABOSA OU ALOE-VERA

Uso: cicatrizante, anti-inflamatória, hidratante, pode ser usada para controle de acne, em queimaduras de sol, machucados de pele e outras muitas coisas, é o remédio em forma de planta.
Luz: luz direta por pelo menos oito horas diárias.
Água: uma vez por semana, já que a planta é uma suculenta e retém água nas folhas.
Substrato: 50% de areia com 25% de terra e 25% de húmus de minhoca.

BOLDO

Uso: ótimo como chá para fígado e problemas gástricos (azia, gastrite, gases).
Luz: luz direta por pelo menos quatro horas diárias.
Água: duas a três vezes por semana, mantendo a terra levemente úmida, sem secar.
Substrato: solo bem drenado rico em matéria orgânica. Misturar uma parte de terra para uma de húmus de minhoca. Escolha um vaso grande porque o boldo chega a 1 metro de altura.

CAMOMILA

Uso: calmante e anti-inflamatória.
Luz: luz direta é o ideal, mas tolera meia-sombra se tiver bastante luminosidade.
Água: manter o solo úmido sem encharcar.
Substrato: solo bem drenado rico em matéria orgânica. Misturar uma parte de terra para uma de húmus.

HORTELÃ

Uso: o chá é ótimo para problemas como gastrite, azia e má digestão e um poderoso anti-inflamatório para resfriados; estimulante e refrescante, pode ser usada para controle de coceira no couro cabeludo.
Luz: luz direta é o ideal, mas tolera meia-sombra se tiver bastante luz.
Água: manter o solo úmido sem encharcar, normalmente precisa de regas diárias.
Substrato: solo bem drenado rico em matéria orgânica. Misturar uma parte de terra para uma de húmus. Como é uma planta invasiva, prefira um vaso só para ela.

LAVANDA

Uso: calmante e anti-inflamatória em infusões que podem ser usadas para compressas, misturar com argila para máscaras ou tônicos faciais.
Luz: luz direta por pelo menos quatro horas diárias.
Água: sensível ao excesso de água. Mantenha o solo úmido sem encharcar, regue de duas a três vezes por semana.
Substrato: solo bem drenado rico em matéria orgânica. Misturar uma parte de terra para uma de húmus.

MANJERICÃO

Uso: como tempero principalmente em receitas com tomate, ótimo para fazer pesto.
Luz: luz direta por pelo menos quatro horas diárias.
Água: sensível ao excesso e à falta de água. Mantenha o solo úmido sem encharcar, regando diariamente.
Substrato: solo bem drenado rico em matéria orgânica. Misturar uma parte de terra para uma de húmus de minhoca. Como é uma planta invasiva, prefira um vaso só para ela.

ORA-PRO-NÓBIS

Uso: para comer com saladas, refogados ou ensopados, riquíssima em proteínas e fonte de muitos nutrientes.
Luz: luz direta é o ideal, mas tolera meia-sombra se tiver bastante luz.
Água: manter o solo úmido sem encharcar. Resiste a secas, mas o solo úmido mantém a produtividade.
Substrato: solo bem drenado rico em matéria orgânica. Misturar uma parte de terra para uma de húmus de minhoca. Como é uma trepadeira, você vai precisar colocar uma estrutura no vaso para que ela se apoie e cresça.

ORÉGANO

Uso: como tempero, fresco é uma delícia e muito diferente do seco que estamos acostumados. Como chá é ótimo para cólicas e ajuda em problemas digestivos com sua ação anti-inflamatória.
Luz: luz direta por pelo menos quatro horas diárias, e quanto mais sol receber, mais feliz fica.
Água: sensível ao excesso e à falta de água. Mantenha o solo úmido sem encharcar, regando diariamente.
Substrato: solo bem drenado rico em matéria orgânica. Misturar uma parte de terra para uma de húmus.

TOMILHO

Uso: como tempero em pratos de todos os tipos. Como chá é ótimo para combater a caspa e para peles inflamadas com acne.
Luz: luz direta por pelo menos quatro horas diárias.
Água: sensível ao excesso de água. Mantenha o solo úmido sem encharcar, regando diariamente.
Substrato: solo bem drenado rico em matéria orgânica. Misturar uma parte de terra para uma de húmus.

O QUE PARAR DE USAR NA COZINHA

PAPEL-ALUMÍNIO

Em vez de usar papel-alumínio para forrar fôrmas, unte com um óleo vegetal. Ajuda muito a não deixar o alimento grudar e fica mais fácil de limpar. Se grudar muito, deixe de molho com água quente e bicarbonato de sódio (se for panela eu deixo no fogo fervendo por uns minutos). Desgruda tudo. Em casos mais difíceis, isso amolece o suficiente para você escovar bem depois.

Para assar coisas que você envolveria em papel-alumínio, o jeito é colocar uma panela ou uma travessa com tampa direto no forno. Mas tome o cuidado de escolher uma panela toda de inox, ferro, barro. **As que têm cabos plásticos são proibidas.** Faça legumes assados como batata-doce e abóbora. Funciona superbem, só tem que ter cuidado na hora de tirar a panela, pois ela fica muito quente.

PAPEL-TOALHA

Esse é bem simples: use toalhinhas de pano no lugar. Você pode reaproveitar panos de prato mais velhinhos, manchados e gastos para isso. Ou pode usar toalhinhas pequenas e colocar botões tipo *tip top* e enrolá-las para formarem um rolinho como o do papel-toalha. Depois é só lavar com o sabão de coco ou o detergente natural da página 158 e estender para secar.

PAPEL-MANTEIGA

Vamos deixar de preguiça que desenformar bolo é bem fácil sem papel-manteiga: só untar bem a forma (eu uso um pincel de silicone lavável para espalhar o óleo vegetal) e polvilhar a farinha antes de despejar a massa. Para quem usa para assar biscoitos, pode comprar um tapetinho de silicone próprio para isso, vende em lojas de confeitaria. Para papilotes salgados, use folha de bananeira. *Nham*.

Descobri com a **Neide Rigo** que existe uma folha de uma árvore que pode ser usada também como papel-manteiga. A folha é de sete-copas, uma árvore bem comum por todo o Brasil, principalmente nas áreas de Mata Atlântica, mas ocorre em outros pontos também.

PLÁSTICO-FILME

Para guardar comidas em potes, é só usar potes com tampas, ué! Nenhuma dificuldade. Reutilize potes de palmito, de molho de tomate e também aqueles tipo marinex. Tento não usar potes de plástico por causa do **bisfenol**. Para proteger frutas e verduras cortadas ao meio, dá pra fazer ou comprar uns tecidos encerados. É um tecido com cera que você coloca em um potinho e "molda" com o calor das mãos. Protege as comidas e é lavável.

Como fazer panos encerados

Corte com uma tesoura zigue-zague um quadrado de tecido de algodão, com cerca de 45 cm de lado.

Coloque o tecido em cima de um pedaço de papel-manteiga, que não vai queimar com o calor.

Polvilhe cera de abelha ralada o suficiente por todo o comprimento. Não precisa cobrir o tecido, depois de derretida, a cera espalha melhor.

Ao mesmo tempo, coloque um fio de óleo vegetal pelo pano.

Cubra com um outro papel-manteiga e passe o ferro bem quente por toda a superfície.

Leve à geladeira para a cera endurecer.

Com o QR Code ao lado você acessa um gif com todas as etapas do passo a passo acima para aprender a fazer seus próprios panos encerados.

Nutricionista, musa das Pancs (plantas alimentícias não convencionais), uma pessoa maravilhosa. Vale a pena conhecer o blog dela, o Come-se

O bisfenol A (BPA) é um composto utilizado na fabricação de policarbonato, um tipo de resina usada na produção da maioria dos plásticos. Vários estudos sugerem que ele é um desregulador endócrino, cancerígeno e pode causar problemas cardíacos. No Brasil, a Anvisa e a Vigilância Sanitária já proíbem seu uso em itens para bebês como mamadeiras, já que, de acordo com os estudos feitos, a eliminação dessa substância é prejudicial para crianças até 12 anos.

bit.ly/2yaRPel

UMA VIDA SEM LIXO   67

ESPONJA PLÁSTICA PARA LAVAR LOUÇA

As esponjas plásticas são um problemão ambiental, porque, na maioria das vezes, nem chegam à coleta seletiva. A maioria das casas ainda descarta esse item junto com o lixo orgânico. Mas a verdade é que, apesar de ser feita de plástico e teoricamente ser reciclável, esse processo é difícil pois normalmente está cheia de restinhos de comida.

Evite comprar e gerar esse lixo que pode acabar no oceano usando a bucha vegetal para lavar louça também. Sim, isso mesmo. Como ela é uma planta, você coloca na composteira quando estiver velhinha e ela vira adubo. Eu falo mais e explico melhor no capítulo Área de Serviço, na página 170.

DETERGENTE

Os detergentes comuns para louça são feitos com sulfatos, detergentes poderosíssimos e que causam problemas na pele e no meio ambiente. Por serem muito agressivos, ressecam as mãos e podem causar alergias. Depois que escoam pelo ralo, eles também se tornam ruins para o meio ambiente porque precisam de muita água (muita mesmo) para se dissolver. E é por isso que alguns rios ficam cheios de espuma na superfície, matando peixes e outros animais.

O **sabão de coco** é o sabão mais natural disponível no Brasil. Apesar da maioria dos disponíveis no mercado nem serem de coco, ele ainda é uma opção barata e sustentável. Aqui em casa eu gosto de usar o sabão em barra para lavar a louça, porque acho que dura mais. Quem gosta do sabão líquido pode fazer a receita de detergente líquido da página 162 e colocar em um potinho com válvula de sabonete.

Tem mais informações sobre sabão de coco e como escolher e comprar o seu lá na página 151.

SPRAY PARA LIMPAR O FOGÃO

Chega de gastar um montão de dinheiro com sprays especiais para limpar o fogão cheios de químicos desnecessários. Corra para a página 168 para aprender a receita do spray multiuso que limpa fogão, vidros, espelhos e superfícies.

ÁGUA ENGARRAFADA

Nos últimos anos, o consumo de água engarrafada aumentou assustadoramente porque muitas pessoas acreditam que ela é mais pura que a encanada. Mas, sinto informar, não é bem assim. Primeiro porque grande parte das marcas engarrafa água filtrada da torneira. Segundo porque, sendo embalada em plástico e submetida a temperaturas altas, essa água corre o risco de ser contaminada pelo bisfenol A que, como vimos, é um ingrediente das ligas plásticas associado a várias **doenças**. Terceiro porque, quando você compra água engarrafada, está gerando um lixo plástico que é responsável pela contaminação da própria água.

A água encanada segue padrões de higiene usando cloro para matar micro-organismos e, no Brasil, também temos adição de **flúor**. O flúor é suspeito de interferir na fertilidade, no sistema imunológico, aumentar o risco de fraturas ósseas, aumentar a entrada de alumínio e chumbo no sangue, causar deficiência de vitamina C etc. A justificativa de sua inclusão na água é que isso ajudaria a combater a cárie, principalmente em comunidades carentes em que a higiene bucal é **precária.**[9]

Como a água engarrafada adiciona os riscos do bisfenol A e dos **Ftalatos**, a melhor opção é sim a água encanada filtrada, fazendo a devida manutenção na sua caixa d'água pelo menos a cada seis meses e mantendo-a bem fechada.

Para filtrar a água, o **filtro de barro** é a melhor opção. Ele usa velas cerâmicas normalmente com carvão ativado e prata coloidal, que eliminam cheiro, gosto, bactérias e micropartículas. Ainda não foram feitos testes para saber se ele é capaz de filtrar microfibras de plástico, presentes tanto na água encanada quanto na água **engarrafada.**[10]

As velas filtrantes têm uma vida útil que depende do fornecedor, mas, depois de um tempo, precisam ser trocadas. Na hora de descartar, você pode quebrá-las com um martelo e usar essa cerâmica no fundo de vasos de plantas, já que esse material não é reciclável. As partes de plástico podem ir para a coleta seletiva.

Falo melhor na página 88, no capítulo Banheiro.

O meu filtro é de cerâmica esmaltada porque é *vintage*, de cerca de trinta anos atrás.

Veja nota na página 67.

Muitos países já proibiram a água fluoretada como Suécia, Noruega, Alemanha, Holanda, França e Irlanda.

CAPÍTULO 2

BANHEIRO

CUIDANDO DA GENTE E DO PLANETA

O banheiro é um dos lugares da casa em que mais geramos lixo. Usamos cosméticos, fazemos necessidades, tomamos banho, escovamos os dentes, entre várias outras coisas. Neste capítulo, eu trago informações sobre as substâncias que você tem usado sem saber, receitas para começar a fazer quase tudo em casa e uma lista de coisas que você pode parar de usar. Assim, você utiliza menos embalagens plásticas, gera menos lixo e usa produtos mais naturais e igualmente eficazes. Podemos cuidar de nós mesmos sem agredir o planeta.

O PROBLEMA DOS INGREDIENTES SINTÉTICOS NOCIVOS EM COSMÉTICOS E PRODUTOS DE HIGIENE PESSOAL

Hoje em dia, quando a gente compra um alimento, é muito comum lermos o rótulo e a lista de ingredientes em busca de substâncias de nomes esquisitos que tornam a comida um pouco menos comida de verdade. Antioxidantes, conservantes e outros palavrões que nossa avó não entenderia como comida deixam a gente alerta sobre a qualidade nutricional do produto. Falamos antes por aqui sobre como comida de verdade não vem dentro de caixas, e isso a gente entende faz um pouco mais de tempo. Mas, quando chega a hora de ler o rótulo de um cosmético, não sabemos nem por onde começar.

A pele é o maior órgão do corpo humano e ela tem muitas funções, apesar de a gente se esquecer frequentemente disso: ela é nossa camada de proteção do sol e também contra fungos, bactérias, produtos químicos e físicos. Mas a pele não é uma camada plástica: é um órgão que respira, transpira, secreta sebo e faz tudo isso para proteger o que se passa dentro de nós (como o funcionamento dos outros órgãos). Não sendo totalmente impermeável, absorve várias coisas que passamos nela, e por isso saber o que tem nos nossos cosméticos é tão importante. Você passaria um hidratante feito com petróleo? Um creme dental cancerígeno? Ou um desodorante que pode contribuir para o desenvolvimento da doença de Alzheimer? Eu acho que não. Mas você usa, só que sem saber.

Os cosméticos de hoje têm na sua composição muitos ingredientes sem função terapêutica para a pele ou para os cabelos. Esses ingredientes servem somente para a fórmula química resultar em uma mistura bonita, cheirosa, com uma viscosidade legal, mas não necessariamente para hidratar a pele, limpar o cabelo, retirar a maquiagem.

Por exemplo: o primeiro ingrediente na lista de quase todos os cosméticos é a **água**. Na maioria das fórmulas ela só está ali para dar volume, literalmente. Por isso temos a impressão de que precisamos de potes de 500 mililitros de xampu, de 500 mililitros de hidratante. A água também está presente porque ela é barata: dá bastante volume por um preço muito baixo.

Além disso, tem outro problema: a água é o ambiente perfeito para a proliferação de micro-organismos como fungos e bactérias. Para que os cosméticos não estraguem, a indústria coloca conservantes e antioxidantes para garantir a segurança do produto nesse quesito. O problema não é ter conservantes – afinal de contas, um produto não pode estragar facilmente –, mas quais conservantes são usados e em que quantidade. Um produto com muita água precisa de um sistema de conservação mais pesado. As substâncias mais comuns com essa função são os **parabenos**, que você encontra no rótulo como *Methylparaben, Propylparaben*. **Alguns estudos**[1,2] já encontraram esses mesmos parabenos em células mamárias de mulheres que tiveram câncer de mama.

Já **petrolatos** são produtos derivados de petróleo usados normalmente em condicionadores e hidratantes. A indústria diz que eles estão ali para hidratar nossa cútis e cabelo, mas, na verdade, eles roubam água da nossa pele, criam uma camada que não a deixa respirar e também são **comedogênicos**. Você não encontra **petróleo** no rótulo, mas encontra **parafina líquida** (*Liquid Paraffin*), **óleo mineral** (*Mineral Oil, Mineral Jelly*)

Os produtos ou ingredientes comedogênicos entopem e obstruem os poros da pele, causando espinhas e cravos.

ou **petrolatum**. Pegue seus cremes hidratantes e dê uma lidinha no rótulo. Eu tenho quase certeza de que, infelizmente, você vai encontrar algum desses nomes. Mesmo em um óleo corporal para bebês.

Parece uma solução perfeita para a indústria dos cosméticos. E é. Esses ingredientes ruins são baratos, não existe uma regulamentação que proíba seu uso e os órgãos reguladores e as empresas costumam dizer que a quantidade dessas substâncias usada nos produtos é muito pequena para causar algum dano à saúde. O problema é que, de pouquinho em pouquinho, usamos muito mais do que um produto por dia – usamos 10, 15, 20 produtos todos os dias. Sabonete, desodorante, creme dental, xampu, condicionador, perfume, hidratante, espuma de barbear, pós-barba, enxaguante bucal, máscara de cílios, base, blush, sombra, batom, esmalte, protetor solar, repelente… e a lista continua. Essa quantidade razoável de parabenos não parece tão segura

assim agora, e é exatamente isso que estudos recentes têm provado.

Parece ruim, não é? Se você soubesse dessas coisas, muito provavelmente teria pensado duas vezes antes de ter comprado vários produtos. Por isso a gente precisa aprender a ler os rótulos e a se proteger enquanto o Estado não aprova leis que obriguem os fabricantes a produzirem cosméticos mais seguros (essa é nossa meta maior).

QUESTÃO DE RÓTULO

Se você já tentou ler o rótulo de um produto, provavelmente começou este capítulo descrente de que eu vou realmente ajudar. Eu sei. Parece uma missão impossível entender o que está escrito naquelas letras miúdas, e mais impossível ainda saber o que cada uma delas significa. Eu aprendi tudo com a **Adina Grigore**, autora do livro *Skin Cleanse*.[3] Vamos decifrar o rótulo por partes, e assim vai ficar mais fácil ter alguma noção do que tem lá dentro.

A primeira coisa que você precisa saber é que os rótulos de cosméticos seguem uma norma do **International Nomenclature of Cosmetic Ingredients (INCI)**, ou Nomenclatura Internacional dos Ingredientes de Cosméticos. Uma das regras é ordenar os ingredientes de acordo com a quantidade usada na fórmula – o que tem mais vem em primeiro na lista de ingredientes, o que tem menos aparece por último. Outra diretriz é que os ingredientes são listados de acordo com seu nome químico. O que significa que, em vez de "água", você vai ler "Aqua" em um rótulo; em vez de "azeite de oliva", você vai encontrar "Olea Europaea Fruit Oil". A maioria dos produtos, mesmo os brasileiros, apresenta os ingredientes com seu nome científico em inglês, o que dificulta ainda mais a compreensão para quem não fala esse idioma.

Também precisamos pensar que, além dos ingredientes naturais (óleos e extratos vegetais, óleos essenciais, manteigas vegetais, entre outros), existem os ingredientes sintéticos, que não vieram de uma planta. Eles foram produzidos em laboratório e não têm um nome comum como "azeite de oliva". No rótulo, o *Methylparaben* continua *Methylparaben*, assim como o *Sodium Lauryl Sulfate* continua *Sodium Lauryl Sulfate.*

Bom, então é hora de entender a **diferença entre os ingredientes naturais e os sintéticos**. Um cosmético natural tem ingredientes naturais, claro. Mas também pode ter alguns ingredientes sintéticos, usados para funções específicas, como emulsificantes, conservadores, antioxidantes. O problema não é ter ingredientes que façam essas funções, mas sim **quais ingredientes** a empresa escolhe para fazer essas funções. O *Tocopherol*, por exemplo, que é vitamina E, é usado como antioxidante em alguns produtos para evitar que os óleos vegetais oxidem. Alguns ingredientes são derivados de produtos naturais porém extraídos através de processos industriais.

Como não existe exatamente uma regulamentação federal nem internacional que diga quais ingredientes são proibidos em cosméticos naturais, o melhor jeito de se prevenir sem ter que ler os rótulos é comprando produtos certificados orgânicos – as certificações sim têm especificidades para os cosméticos.

A ciência está sempre mudando. Os ingredientes que eu listei aqui como os que você deve evitar foram mencionados porque há pesquisas que mostraram alguns efeitos ruins na gente. Pode ser que esses estudos continuem e os ingredientes sejam, de fato, considerados tóxicos e banidos das formulações de cosméticos (eu espero por isso!). Mas pode ser que daqui cinco ou dez anos seja descoberto que eles não são os piores. Mesmo assim, eu prefiro evitar o contato. Enquanto há suspeita de ser nocivo, e se eu posso usar outra coisa no lugar, por que não substituir de uma vez?

Termo usado para uma técnica de marketing que faz um produto parecer natural mesmo não sendo. Sabe aquelas frases em destaque em rótulos que falam "puro óleo de argan" ou "óleo de coco"? Às vezes acontece de ele nem estar listado na lista de ingredientes da composição.

A partir da página 86, listo quinze ingredientes tóxicos para excluir já da sua prateleira.

DESCOBRINDO O QUE SIGNIFICAM OS SÍMBOLOS

É muito importante conferir se seus produtos possuem as certificações para o que eles prometem ser. Não dá para ser orgânico sem ter alguma garantia disso. Dessa forma, também é mais fácil de comprar e de não cair em nenhum *greenwashing.*

ORGÂNICO

Os produtos certificados orgânicos possuem ainda ingredientes que vieram de agricultura livre de agrotóxicos e fertilizantes sintéticos.

As certificações orgânicas também proíbem o uso de vários conservantes sintéticos polêmicos, como os citados na **lista dos quinze,** proíbem testes em animais – mas não proíbem o uso de derivados animais como o mel (por isso nem todo produto orgânico é necessariamente vegano). Elas têm diretrizes que permitem o uso de ingredientes minerais (pigmentos para sombras, por exemplo), desde que não haja dano ambiental. Por tudo isso, comprar um cosmético certificado orgânico confere uma maior garantia de segurança.

Estes são alguns dos principais certificados orgânicos usados no mundo.

Certificação orgânica do Ministério da Agricultura dos Estados Unidos (USDA). Garante que o produto tem pelo menos 95% da sua composição proveniente de agricultura orgânica certificada.

Certificações orgânicas brasileiras. As exigências são parecidas com as da certificação do USDA.

Certificação europeia e mais comum de ser vista nos produtos brasileiros. Exigências parecidas com as do selo do USDA.

CRUELTY-FREE, OU SEM TESTES EM ANIMAIS

Este selo significa que a marca e seus fornecedores não fazem teste em animais ou usam produtos que neles foram testados. De tempos em tempos, a empresa recebe a visita da instituição The Leaping Bunny para que um auditor avalie se tudo se mantém correto.

Este selo, conferido pela instituição People for the Ethical Treatment of Animals (PETA), garante que a marca e seus fornecedores foram certificados e não fazem, patrocinam ou usam produtos derivados de testes em animais. Também nesse caso, a

UMA VIDA SEM LIXO   79

empresa recebe periodicamente uma visita para que um auditor avalie se está tudo certo.

Tem as mesmas especificações que os símbolos anteriores, mas este é certificado pela organização Choose Cruelty Free (CCF).

VEGANO

Garante que o produto não tem nenhum ingrediente de origem animal.

Selos da Vegan Society e Certified Vegan, que atestam que os produtos não foram testados em animais, não contêm nenhum ingrediente de origem animal nem foram processados em máquinas que processam produtos de origem animal.

OUTROS SELOS

Certificadora nacional que garante que a marca recicla a quantidade equivalente ao material das embalagens dos seus produtos. A certificadora Eu Reciclo faz o processo de compensação junto a cooperativas de catadores de lixo.

Este símbolo é basicamente o tempo de uso do produto depois de aberto, em meses, antes que ele estrague.

Os símbolos de comércio justo (*fairtrade*) são certificados pela Fairtrade Internacional, que incentiva ações para capacitar produtores dos países mais pobres do mundo. Eles asseguram que os produtores recebam valores justos pela produção.

80 BANHEIRO

PASSO A PASSO PARA LER O RÓTULO DE UM PRODUTO

1. VERIFICAR SE TODOS OS INGREDIENTES SÃO NATURAIS

A primeira coisa que você precisa verificar é se os ingredientes são naturais. Se forem, o produto já está liberado.

> **Ingredientes creme hidratante: Astrocaryum Murumuru Seed Butter, Carapa Guaianensis (Andiroba) Seed Oil, Calendula (Calendula Officinalis) Flower Extract, Balsam Copaiba (Copaifera Officinalis) Oil,** Rosmarinus Officinalis (Alecrim) Extract, Litsea cubeba (Verbena) Fruit Oil.

Perceba que, mesmo sendo um pouco estranhos, os termos são só os nomes científicos de algumas plantas ou a forma em inglês dos ingredientes. O nome popular está entre parênteses para facilitar o entendimento. Os ingredientes em destaque são orgânicos. Em português, essa composição ficaria assim:

> **Ingredientes creme hidratante: manteiga de murumuru, óleo de andiroba, extrato de calêndula, oleorresinas de copaíba,** alecrim, óleo essencial de verbena.

2. VERIFICAR SE ENTRE OS INGREDIENTES TEM ALGUM A SER EVITADO

Se o produto não tiver apenas ingredientes naturais e contiver ingredientes sintéticos, você precisa entender o que eles são. Adiante, na página 86, compartilho a **lista dos quinze**, com os ingredientes considerados tóxicos mais comuns em cosméticos para você ficar bem longe. Você também pode pesquisar na internet pelo nome do ingrediente – é o que eu normalmente faço! Os dois sites que recomendo como fontes confiáveis são o Skin Deep, do **EWG**,[4] e o **Pubmed**[5] (ambos em inglês).

Os ingredientes destacados são **silicones** e **plastificantes**. Esses ingredientes criam uma camada que impede a pele de respirar, obstruindo os poros e podendo causar acne. Podem também desregular os hormônios e causar danos ao fígado.

Quando você achar os ingredientes da **lista dos quinze**, descarte a possibilidade de usar aquele cosmético. É melhor escolher uma opção em que eles não apareçam.

> **Ingredientes primer:** Water, Zinc Oxide, **Cyclopentasiloxane, Butylene Glycol, Ethylhexyl Methoxycinnamate, Peg-7 Dimethicone, Cyclohexasiloxane, Dimethicone, Phenyl Trimethicone, Vinyl Dimethicone/Methicone Silsesquioxane Crosspolymer,** Methyl Gluceth-10, Glycerin, **Dimethicone/Vinyl Dimethicone Crosspolymer,** Caffeine, Tocopherol, Sucrose, Stearyl Glycyrrhetinate, Cellulose Acetate, Methicone, **Peg/Ppg-19/19 Dimethicone,** Magnesium, Sulfate, Silica Dimethyl Silylate, Silica, Sorbic Acid, **Phenoxyethanol,** Chlorphenesin.

O Environmental Working Group é uma ONG americana cujo objetivo é cuidar da saúde das pessoas. Eles têm muitos conteúdos sobre cosméticos, alimentos etc. O Skin Deep é uma parte do site onde eles catalogam informações sobre ingredientes de cosméticos. Cada ingrediente tem uma nota, links de estudos que comprovam o que eles alegam que o ingrediente pode causar, se a informação é rasa ou completa, muita coisa. É lá que eu costumo conferir o que significam os nomes estranhos dos rótulos! Apesar de alguns ingredientes terem poucos estudos, é legal para ter uma primeira noção.

O Pubmed é o site da Biblioteca Nacional dos Estados Unidos de artigos sobre saúde. Você pode pesquisar o nome dos ingredientes no site para ver se existem estudos sobre ele e o que esses estudos dizem.

3. SE ENTRE OS INGREDIENTES NÃO TEM NENHUM DA LISTA DOS QUINZE CONSIDERADOS MAIS NOCIVOS, MAS VOCÊ AINDA NÃO TEM CERTEZA SOBRE OUTRAS SUBSTÂNCIAS, PESQUISE CADA UMA DELAS.

> **Ingredientes máscara de argila:** Aqua, Argilla / Kaolin / Montmorillonite / Mica, Bertholletia excelsa seed oil (and) tocopherol, **Cetearyl Olivate** (and) **Sorbitan Olivate, Cetyl Palmitate (and) Sorbitan Palmitate, Propanediol, Glyceryl Caprylate.**

Esse produto não parece totalmente natural na primeira olhada porque seu rótulo tem vários nomes diferentes. Eu fui pesquisar cada um dos ingredientes para entender o que significam:

Aqua: água
Argilla / Kaolin / Montmorillonite / Mica: argila
Bertholletia excelsa seed oil (and) tocopherol: óleo de castanha-do-pará e vitamina E
Cetearyl Olivate (and) Sorbitan Olivate: emulsificantes derivados do óleo de oliva
Cetyl Palmitate (and) Sorbitan Palmitate: cera vegetal derivada do óleo de oliva
Propanediol: umectante derivado do açúcar do milho
Glyceryl Caprylate: coemulsificante produzido a partir de óleos vegetais

Todos os ingredientes são de origem natural, mesmo que alguns não pareçam! Por isso é sempre importante pesquisar o que cada substância significa. O banco de dados de ingredientes do Skin Deep está em constante atualização, e lá cada um recebe uma nota de acordo com a possível toxicidade. Também é importante pesquisar em mais de uma fonte para ter mais certeza do que cada substância significa. Não está mais tão difícil, percebeu?

Mas dá um trabalhinho. Por mais que você tenha percebido que ler rótulos não é tão difícil assim e que a gente só precisa de um pouco de paciência para pesquisar, tenho que concordar que dá uma preguiça de pensar em ler os rótulos de cada produto que a gente vai comprar. Eu sei. Por isso, tenho três dicas:

1. Já parta do princípio que quase nada que tem em farmácia ou mercado está liberado, salvo raras exceções, mesmo de marcas que são voltadas para bebês (e isso é muito grave e triste).

2. Na dúvida, escolha cosméticos certificados orgânicos e aprovados pelo **IBD**. As marcas que vendem produtos com essas certificações são obrigadas a evitar ingredientes ruins e têm fiscalização rigorosa para garantir que os ingredientes sejam bons e naturais.

3. Faça seus próprios cosméticos sempre que puder. Assim você sabe exatamente o que está usando e não precisa quebrar a cabeça pesquisando e decifrando nomes. Aqui tem várias receitas bem fáceis para você fazer vários cosméticos em casa. Continue lendo o capítulo e descubra! :)

A Associação de Certificação Instituto Biodinâmico é uma organização que desenvolve atividades de certificação de produtos orgânicos e biodinâmicos.

A LISTA DOS QUINZE

Já li muito sobre quais ingredientes são os piores na composição de cosméticos e demorei para formular uma lista final. Ela não é baseada em achismos, mas em pesquisas científicas que comprovaram a toxicidade de algumas substâncias e em resultados divulgados por algumas **organizações independentes.**[6,7] Esta lista traz o nome da substância em três formas: inglês, português e como ele aparece na rotulagem de cosméticos de acordo com o INCI. Também tentei trazer os usos mais comuns (em quais tipos de cosméticos eles são mais facilmente encontrados) e quais os riscos encontrados nas pesquisas. Para finalizar, na lateral da página tem um QR Code com o link de uma versão reduzida para você baixar e consultar no celular quando estiver na rua.

bit.ly/2HKΠο3u

AMIANTO
Cancerígeno, ligado a câncer de pulmão quando inalado. É encontrado em produtos como maquiagem em pó ou em talco para bebês que contenham *talc* na composição. Normalmente é contaminante do talco, não um ingrediente em si. Por isso, evite os produtos com talco na composição.

BHA E BHT
(**Butylated Hydroxyanisole, Butil-hidroxianisol**) e (**Butylated Hydroxytoluene, Butil-hidroxitolueno**)
Usados principalmente como conservadores em hidratantes e maquiagens. Suspeitos de causar câncer (**BHA**) e interferir no funcionamento hormonal. Nocivos a peixes e outros animais e plantas selvagens.

CHUMBO
(**Lead acetate ou lead**)
Usado como fixador ou corante em cosméticos com alta pigmentação, como tintas de cabelo e batom. É uma neurotoxina, cancerígena e cumulativa no corpo, podendo causar intoxicação.

CORANTES DE ALCATRÃO DE HULHA

(Coal tar dyes)

Procure por ***P-Phenylenediamine*** (**P-Fenilenodiamina**) em tinturas para cabelo e por cores identificadas como "**C.I.**" e seguidas por cinco dígitos em outros produtos. São potenciais causadores de câncer e podem estar contaminados com metais pesados.

DEA, COCAMIDE DEA, MEA E TEA

DEA (*Diethanolamine***, Dietanolamina),** *cocamide* ***DEA***, **MEA (***Monoethanolamine***, Monoetanolamina) e TEA (***Triethanolamine***, Trietanolamina)**

Encontrados em produtos cremosos e que formam espuma, como hidratantes e xampus. Podem reagir e formar **nitrosaminas,** que são causadoras de câncer. Nocivos a peixes e outros animais e plantas selvagens.

DIBUTILFTALATO (DIBUTHYL PHTHALATE)

Usado como plastificante em alguns produtos para as unhas.
É tóxico para o sistema reprodutivo

e pode interferir no funcionamento hormonal. Nocivo a peixes e outros animais e plantas selvagens.

FORMALDEÍDO E LIBERADORES DE FORMOL

Formaldehyde-releasing preservatives **(conservantes que liberam Formaldeído):** Procure por ***DMDM Hydantoin*** **(DMDM Hidantoína),** *Diazolidinyl Urea* **(Diazolidinil Ureia),** *Imidazolidinyl Urea* **(Imidazolidinil Ureia),** *Methenamine* **(Metenamina)** ou *Quaternium-15* **(Quatérnio-15)**

Usados em uma grande variedade de cosméticos como esmaltes de unhas e xampus. Liberam uma quantidade pequena de formol muito devagar. O **formaldeído** é cancerígeno, causa dermatite de contato e enxaqueca.

PARABENOS

Paraben (Parabeno), *Methylparaben* (Metilparabeno), *Butylparaben* (Butilparabeno), *Propylparaben* (Propilparabeno)

Parabenos são usados como conservantes em todos os tipos

Os pigmentos naturais e os inorgânicos usados em cosméticos também usam o Color Index (C.I.) com números entre 75000 e 77000, respectivamente.

de cosméticos. Podem interferir no funcionamento hormonal. Associados ao câncer de mama.

PERFUME OU FRAGRÂNCIA
(Parfum ou Fragrance)
Usado mesmo em produtos "sem perfume". Mistura de compostos químicos (pode chegar a 5.000 ingredientes!) que podem provocar alergias e asma. Alguns estão relacionados a câncer e neurotoxicidade. Alguns são nocivos a peixes e outros animais e plantas selvagens.

PEGS
(Polyethylene Glycol, Polietilenoglicol)
Amplamente usado em condicionadores, hidratantes, desodorantes etc. Pode estar contaminado por *1,4-Dioxane* (**1,4-Dioxano**), que tem potencial cancerígeno.

PETROLATOS
Petrolatum (Petrolato)
Encontrado em produtos para o cabelo, protetores labiais, batons, produtos para a pele. Produto derivado de petróleo que pode estar contaminado por impurezas causadoras de câncer. Cria uma camada superficial que impede a pele e o cabelo de respirar, obstrui os poros. Procure por ***Petroleum oil* (Petróleo)**, ***Petroleum Jelly* (Óleo de Vaselina)**, ***Petrolatum* (Petrolato)**, ***Mineral oil* (Óleo Mineral)**, ***Mineral Jelly* (Geleia Mineral)**, ***Liquid Paraffin* (Parafina Líquida)**.

PLÁSTICOS E PLASTIFICANTES
Encontrados em produtos para o cabelo, esfoliantes e até creme dentais. Usados para adicionar viscosidade e abrasão (no caso das microesferas de plástico). Afetam os hormônios e estão ligados ao câncer. Absorvem toxinas e poluem água, animais selvagens, a cadeia inteira. Procure por ***Polyethylene* (Polietileno)**, ***Polythene* (Politeno)**, **PE ou *Phenoxyethanol* (Fenoxietanol)**, ***Phthalates* (Ftalatos)**.

SILICONES

Siloxanes (Siloxanos):
Cyclotetrasiloxane, cyclopentasiloxane, cyclohexasyloxane e *Cyclomethicone* (Ciclometicone)
Silicones usados em cosméticos para suavizar, alisar o toque, normalmente em hidratantes para pele e cabelo. Podem interferir nas funções hormonais e causar danos ao fígado. Nocivos a peixes e outros animais e plantas selvagens.

SULFATOS

Sodium Laureth Sulphate (SLES, Lauril Éter Sulfato de Sódio) e *Sodium Lauryl Sulphate* (SLS, Lauril Sulfato de Sódio)
Encontrados em produtos que formam espuma como xampus, sabonetes líquidos, espumas para banho. Ressecam a pele e podem causar alergias e dermatites. **SLES** pode estar contaminado por *1,4-Dioxane* (**1,4-Dioxano**), que pode causar câncer. **SLS** pode causar danos ao fígado. São nocivos a peixes e outros animais e plantas selvagens.

TRICLOSAN

(Triclosano)
Em produtos bactericidas como cremes dentais, sabonetes, desinfetantes para as mãos, pode interferir no funcionamento hormonal e contribuir para a formação de bactérias resistentes a antibióticos. Nocivo a peixes e outros animais e plantas selvagens. Pessoas com espinhas persistentes ao longo da vida podem ter alergia ao **triclosan.**

CUIDADOS AO FAZER SEUS COSMÉTICOS EM CASA

Fazer seus cosméticos é muito libertador e incrível, mas você precisa ter alguns cuidados com a higiene dos potinhos, instrumentos e insumos para garantir que não vai ter nenhuma contaminação. Como não vamos fazer receitas complexas, em que são usados conservantes, o cuidado precisa ser na esterilização dos potes, no manuseio na hora de fazer e principalmente na hora de usar.

FAZENDO SEU COSMÉTICO

Use ingredientes orgânicos e, se possível, comprados a granel.

Prefira potes de vidro ou inox aos de plástico porque o plástico é poroso e pode absorver substâncias e sujeiras. O mesmo vale para as colheres e espátulas (nesse caso, pode usar uma de silicone).

Limpe a bancada e todos os instrumentos e potes que vão ser utilizados antes com álcool 70. Espere o álcool secar para começar a trabalhar.

Os processos de aquecimento devem ser feitos sempre em banho-maria, nunca direto no fogo e jamais no micro-ondas.

Os óleos essenciais são muito voláteis, então, adicione-os só quando a mistura já estiver morna ou fria, caso contrário, eles vão evaporar rapidinho.

Os óleos e manteigas vegetais são bem sensíveis ao aquecimento, portanto esquente sempre aos poucos e só o suficiente para derreterem, senão eles podem oxidar.

Prefira sempre os potinhos de vidro âmbar ou escuro para

guardar seu cosmético. A luz pode oxidar os óleos.

USANDO SEU COSMÉTICO

Sempre que possível, prefira potes que tenham válvulas tipo spray, *pump* ou conta-gotas, assim você não entra em contato com o produto e não leva micro--organismos da sua mão para dentro do cosmético. Você pode usar uma espátula limpa também!

Faça pequenas quantidades para não correr risco de o produto estragar ao longo do tempo (aqui todas as receitas rendem pouco por isso). Não temos como precisar a validade, então, é um jeito de garantir nossa segurança.

Não deixe, de jeito nenhum, entrar água no seu produto (principalmente da mão molhada!). Ela é o veículo para os micro-organismos proliferarem.

Lave seus pincéis de maquiagem pelo menos uma vez por semana, assim você também evita contaminação dos produtos de maquiagem.

Descarte se você perceber qualquer mudança de cheiro, cor ou presença de crescimento de alguma coisa estranha no seu cosmético. É provável que tenha estragado.

E vale aquela máxima: guarde em local seco e arejado, bem fechado e longe da luz direta do sol.

ESCOLHENDO SEU ÓLEO VEGETAL IDEAL

Os óleos e manteigas vegetais são a gordura extraída das plantas, normalmente das sementes ou castanhas que a planta produz. É o caso da manteiga de cacau e do óleo de amêndoas, por exemplo. Ao contrário dos óleos minerais, que só criam uma camada exterior e não são de fato absorvidos pela pele, os óleos vegetais são perfeitos para hidratar e nutri-la, porque são absorvidos com facilidade e repõem a gordura que perdemos naturalmente por tomar banho com água quente e sabonete. Eles são a base dos cosméticos naturais por nutrirem a pele e por outras funções e capacidades terapêuticas que variam de acordo com a composição química de cada óleo.

Existem muitos tipos de óleos vegetais no mercado. O fator com que você deve realmente se preocupar é a procedência desses produtos. Portanto sempre escolha os orgânicos certificados. Além disso, dê preferência aos óleos locais, do seu país e sua região, assim você paga menos e garante a qualidade sem adulteração. Se não for possível, investigue a marca para se assegurar de que é confiável. Na página 247 tem uma listinha de marcas que recomendo.

Os óleos a seguir são os mais comuns de achar, são multifuncionais e suficientes para uma rotina de beleza natural. Mas, se você quiser se aventurar em óleos regionais (por exemplo, da Amazônia!) é só pesquisar e usar. Existem muitos tipos de óleos maravilhosos por aí e esta lista é apenas para introduzir o assunto – não para restringir suas opções.

Óleo de coco: Hidratante, antifúngico, emoliente e calmante, serve para todos os tipos de pele. Tem o toque bastante oleoso, por isso não é muito confortável em temperaturas quentes. Não indico para quem tem problema de pele como acne ou espinhas (hormonais ou não) porque é comedogênico. Sólido abaixo de 25 °C.

Óleo de jojoba: Suave e leve, controla a oleosidade da pele, indicado para o tratamento de rosácea e acne. É importado, o que favorece a adulteração. Por isso, prefira o orgânico ou escolha outra opção.

Óleo de abacate: Regenerador, antienvelhecimento, cura cicatrizes, calmante. É uma opção mais barata ao óleo de jojoba, produzido no Brasil e rico em vitamina E.

Óleo de amêndoas: Suave, emoliente, restaurativo, calmante. Bem fácil de achar e com um preço mais acessível que outros óleos vegetais.

Manteiga de cacau:
Altamente hidratante, com cheiro de chocolate, sólida em temperaturas quentes. Boa para adicionar firmeza em receitas que levam óleos vegetais líquidos. Produzida no Brasil.

Manteiga de manga:
Hidratante, com cheiro doce, toque aveludado não oleoso, ótima para bases hidratantes e cremosa em qualquer temperatura. Produzida no Brasil.

Outros óleos e manteigas que você pode ficar de olho são: Oleorresina de copaíba, manteiga de murumuru, óleo de andiroba, óleo de rosa mosqueta, óleo de pracaxi, óleo de semente de uva, óleo vegetal de rícino (mamona).

ÓLEOS REALMENTE ESSENCIAIS

Os óleos essenciais (OE) são óleos extraídos das plantas, normalmente por destilação, e concentram o suprassumo de funções terapêuticas, cosméticas e aromáticas da planta. Por isso são tão importantes para os produtos: acrescentam funções como acalmar a pele ou combater acne, podem ajudar no ciclo menstrual e até ajudar a cicatrizar a pele. Adicionar essas gotinhas nos seus produtos é adicionar o "remédio" que você precisa. É importante lembrar que óleos essenciais podem ser tóxicos se usados em excesso ou de forma errada. Alguns não podem ser usados por grávidas nem ser expostos ao sol. Antes de usar um óleo essencial, pesquise sobre como ele pode ser utilizado.

Os OE que cito aqui são os que considero mais versáteis para fazer cosméticos em casa, pois tratam de quase tudo o que queremos ou precisamos (como espinhas e irritações na pele). Você não precisa ter dezenas de óleos em casa, lembre-se disso.

Óleo essencial de melaleuca (ou tea-tree): Antifúngico, bactericida, controla odores (axila), auxilia no tratamento de acne e espinhas, cicatrizante. Indicado para tratamento de caspa, acne, psoríase, micoses. Para mim, é o OE que não pode faltar na sua nécessaire.

Óleo essencial de lavanda: Calmante, cicatrizante, analgésico, ajuda a reduzir dores de cabeça, melhora o sono, recomendado para tratamento de eczemas, acne, picada de insetos, alergias.

Óleo essencial de capim--limão: Repelente de insetos, antisséptico, anti-inflamatório, calmante.

Óleo essencial de erva-doce: Calmante.

Óleo essencial de alecrim: Estimulante quando inalado, e também o diminui a quantidade de cortisol, o hormônio do estresse, no corpo. Ajuda na psoríase.

Óleo essencial de cedro: Trata caspa e psoríase.

Óleo essencial de hortelã--pimenta: Estimulante, antimicrobiano, antifúngico e antioxidante. Analgésico, ajuda a reduzir a dor de cabeça e náuseas, e também melhora a concentração.

Óleo essencial de citronela: Repelente de mosquitos.

MANTEIGA HIDRATANTE CORPORAL MULTIUSO

Faço este hidratante que usa manteigas e óleos vegetais quando preciso de algo potente para usar em áreas mais secas do corpo ou em momentos em que a pele está muito ressecada, como no inverno. Mas, se preferir simplicidade, você pode hidratar o corpo usando só um óleo vegetal puro. Essa versatilidade é uma das coisas de que mais gosto nesse processo da beleza natural de fazer cosméticos em casa.

INGREDIENTES

2 colheres (sopa) de manteiga de cacau

2 colheres (sopa) de manteiga de manga

1 colher (sopa) de óleo de abacate

1 colher (sopa) de óleo de amêndoas doces

¼ colher (chá) do óleo essencial que você preferir

UTENSÍLIOS

Vasilha de vidro ou inox

Batedeira

Pote de vidro âmbar

1 Junte todos os ingredientes menos o óleo essencial na vasilha. Aqueça em banho-maria, mexendo até derreter. Não deixe a mistura esquentar muito! Desligue o fogo e continue mexendo até começar a esfriar. **2** Coloque o óleo essencial quando a mistura estiver morna, quase fria, e guarde na geladeira por cerca de 2 horas ou até a mistura ficar bem dura, parecendo uma manteiga mesmo. **3** Use a

batedeira para misturar tudo. Vá com calma. Você vai sentir o cheirinho gostoso subir. **4** Guarde no pote esterilizado. Como sua consistência não é muito mole, sugiro não usar um pote com válvula. No frio, você pode ter dificuldades para tirar o conteúdo de lá. **5** Passe depois do banho nas áreas secas ou pelo corpo todo sempre que sentir necessidade. Pode ser usado em qualquer área como cutículas, boca, pele do rosto, do corpo, pés e mãos.

VARIAÇÕES

Você pode trocar os ingredientes conforme seu gosto e sua necessidade. Por exemplo: se quiser uma mistura que não fique tão oleosa na pele, troque a manteiga de cacau por manteiga de manga. Se tiver óleo de coco e não tiver óleo de abacate, pode trocar sem problemas. A proporção é para a mistura final ficar uma manteiga hidratante e cremosa, e não um óleo líquido.

SÉRUM DE TRATAMENTO FACIAL

As propriedades hidratantes dos óleos vegetais são tão poderosas que você pode usar um óleo vegetal puro para hidratar a pele. Minha sugestão é começar assim mesmo se você só precisa de hidratação ou fazer o sérum de tratamento com óleos essenciais se tiver algum problema de pele. É muito fácil! A seguir, dou receitas de sérum para quem tem pele sensível ou com acne. Lembre-se sempre: pele oleosa e pele seca são sintomas, não tipos de pele – as duas precisam de hidratação!

INGREDIENTES

30 ml de óleo vegetal (de
   amêndoas, jojoba
   ou abacate)
1,5 ml do óleo essencial que
   você preferir

UTENSÍLIOS

Pote de vidro âmbar com conta-
   -gotas ou válvula tipo *pump*

---

1 Coloque o óleo vegetal no pote de vidro. **2** Se você tem problemas com acne ou sofre com espinhas ocasionais (como na época da TPM), misture bem o óleo essencial de melaleuca com o óleo vegetal. Essa mistura fica bem concentrada e funciona como um sérum que hidrata e trata sua pele ao mesmo tempo. É maravilhoso! **3** Se você tem pele sensível, pode misturar óleo essencial de lavanda com o óleo vegetal. A lavanda ajuda a reduzir vermelhidões e acalmar a pele. **4** Se você quiser unir os efeitos terapêuticos dos dois óleos essenciais, coloque metade de cada um sem ultrapassar a medida de ¼ de colher (chá) de óleo essencial da receita. **5** Passe de 4 a 5 gotas desse sérum no rosto antes de dormir. Você vai acordar com uma pele incrível. Pode ser usado todos os dias, dia sim dia não, ou com menos frequência se você perceber que não precisa.

VARIAÇÕES

Você pode usar 30 ml de um óleo vegetal puro ou misturar dois ou mais óleos vegetais conforme a característica deles. A proporção é você quem decide.

O óleo vegetal de jojoba é indicado para quem tem problema com oleosidade ou espinhas.

O óleo vegetal de rosa mosqueta é o indicado para quem tem pele sensível com rosácea e outras irritações frequentes.

Não recomendo usar o óleo de coco nessa receita porque ele é comedogênico e pode causar espinhas, além de endurecer no frio e não funcionar com o conta-gotas.

TÔNICO FACIAL DE CHÁ VERDE OU CAMOMILA

Um bom chá não serve apenas para tranquilizar os nervos. Ele pode ser um grande aliado para acalmar a pele! O chá verde é indicado para peles com problemas de espinhas por ter um efeito secativo e o de camomila ou calêndula para peles sensíveis que precisam de ação calmante. O de camomila é incrível para suavizar olheiras.

INGREDIENTES

½ xícara de chá verde, de camomila ou de calêndula

UTENSÍLIOS

Pote de vidro âmbar com válvula spray

Disco de crochê (página 130)

---

1 Faça o chá normalmente, mas bem concentrado. **2** Coloque o chá no pote de vidro. Guarde na geladeira e use em até 3 dias. **3** Você pode jogar o tônico no rosto e esperar secar naturalmente ou limpar com um disco de crochê. Outra dica é molhar o disco no tônico, aplicar e deixar no rosto por cerca de 15 minutos.

VARIAÇÕES

Se você costuma lavar o rosto com sabonete e gosta da sensação de limpeza, pode adicionar 1 colher (sopa) de vinagre de maçã ao tônico de chá e usá-lo no lugar do sabonete. Ele dá essa sensação sem agredir como um sabonete (mesmo os naturais!).

DEMAQUILANTE BIFÁSICO NATURAL

Este demaquilante bifásico é fácil de fazer, rende bastante e é muito eficaz. Ótima sugestão para substituir o sabonete.

INGREDIENTES

15 ml de um óleo vegetal de sua preferência

15 ml de gel de aloe vera industrializado

UTENSÍLIOS

Pote de vidro escuro com válvula spray

---

1 Para fazer, basta colocar os ingredientes no pote. Pronto! **2** Na hora de usar é só chacoalhar bem e passar no rosto diretamente ou com a ajuda do disquinho de crochê (veja na página 130). **3** Apesar de parecer pouco, essa quantidade rende bastante. Dura de 1 a 2 meses.

VARIAÇÕES

Se você quiser, pode dispensar o gel de aloe vera e só usar um óleo vegetal puro, como o de amêndoas, o de abacate ou o de coco. Funciona do mesmo jeito e é mais simples ainda de fazer.

MÁSCARAS DE ARGILA

As máscaras de argila são maravilhosas para tratamentos mais profundos, que vão além dos cuidados diários. Minha recomendação é usar uma vez por semana, principalmente se você tem alguma condição crônica na pele como acne, sensibilidade, rosácea ou dermatite. Há vários tipos de argila entre os quais escolher.

Argila verde: adstringente, tonificante e secativa. Faz um *peeling* natural, por isso não é recomendada para peles sensíveis.

Argila branca: absorve a oleosidade sem desidratar, é cicatrizante e tem efeito de limpeza. Indicada para peles sensíveis (ou: todos os tipos de pele podem usar, inclusive as sensíveis).

Argila dourada: rica em silício, tem ação tonificante e é indicada para peles maduras e cansadas.

Argila roxa: tem efeito calmante e também é indicada para peles mais sensíveis.

INGREDIENTES

1 colher (chá) da argila de sua escolha
1 colher (chá) de água filtrada

UTENSÍLIOS

Colher para misturar
Pincel para aplicar
Disco de crochê (página 130) ou de tecido para limpar

1 Misture a argila com a água até formar uma pasta e aplique no rosto limpo. Eu prefiro usar um pincel porque fica mais homogêneo e evita desperdícios. **2** Deixe agir por cerca de 15 minutos ou até secar. **3** Lave bem a pele. Para ter um efeito esfoliante é só fazer movimentos circulares enquanto estiver limpando. Você pode usar um disco de tecido para ajudar no processo.

ATENÇÃO
A argila (todos os tipos) ativa a circulação da pele, então, é comum sentir a temperatura do rosto aumentar um pouquinho. Mas não chega a incomodar! Se você passar e sentir ardor, lave com água fria na hora. Talvez a argila que você escolheu não seja para o seu tipo de pele. Mesmo que goste do resultado, não aplique mais do que uma vez por semana.

VARIAÇÕES
Você pode usar chá no lugar da água para fazer a máscara. Espere esfriar e faça a mistura enquanto toma o que sobrou.

BLUSH

Fazer um blush é super, superfácil. Os ingredientes base estão aqui, mas você pode alterar a quantidade de cacau e beterraba em pó conforme a cor que quiser.

INGREDIENTES

1 colher (chá) de farinha de beterraba

½ colher (chá) de cacau em pó sem açúcar

1 colher (chá) de farinha de araruta ou amido de milho orgânico

1 colher (chá) de álcool de cereais

3 gotas de óleo essencial de alecrim ou lavanda

UTENSÍLIOS

Colher ou espátula para misturar

Pote de vidro para armazenar

1 Misture todos os ingredientes em pó no pote de vidro. **2** Adicione o álcool e o óleo essencial e misture bem até virar uma pasta. **3** Espere cerca de 12 horas ou até secar para usar. **4** Na hora que for usar, aplique com um pincel de blush. Para fixar melhor, use sobre hidratante ou base.

PÓ FACIAL

O pó facial é ótimo para deixar a pele do rosto sequinha ao longo do dia, podendo inclusive ser reaplicado. Fácil de fazer, também absorve a oleosidade em excesso que a pele produz.

INGREDIENTES

1 colher (sopa) de farinha de araruta ou amido de milho orgânico

1 colher de sopa de argila branca

Cacau em pó suficiente para dar a cor que você precisar

1 colher (sopa) de álcool de cereais

UTENSÍLIOS

Pote de vidro ou inox para misturar

Colher ou espátula para misturar

Pote com furinhos para armazenar

---

1 Misture a araruta ou o amido de milho com a argila branca e, depois, adicione aos poucos o cacau até chegar na cor desejada. **2** Coloque o álcool de cereais e misture bem até formar uma pastinha. Deixe secar por cerca de 12 horas. **3** Armazene em um potinho plástico com furinhos, próprio para maquiagem, como as embalagens de cosméticos em pó para facilitar o uso. Aplique normalmente com pincel.

VARIAÇÕES

Você pode misturar argilas de outras cores, como rosa ou amarela, para obter um tom mais parecido com o da sua pele.

XAMPU SECO

O xampu seco é muito útil para aqueles dias em que o cabelo está com aparência oleosa, meio sujinho, mas que você não vai ter tempo de lavar antes de sair de casa. Também é bom para quem quer dar mais volume à raiz.

INGREDIENTES
Um pouco de farinha de araruta
ou amido de milho orgânico

UTENSÍLIOS
Pote de vidro para armazenar
Pincel de blush bem gordinho

1 Coloque a araruta ou o amido de milho no pote de vidro. **2** Passe o produto na raiz do cabelo dando batidinhas com o pincel. Cuidado para não passar muito para não ficar com o cabelo branco! **3** Depois que você terminar de passar principalmente na parte da frente do cabelo, penteie para espalhar e fazer o amido sumir. Se você tem cabelo cacheado, esfregue com a ponta dos dedos. **4** Passe até o aspecto oleoso desaparecer. Pronto! O pó vai absorver o excesso de oleosidade do couro cabeludo e assim você pode sair com pressa de casa sem precisar lavar.

VARIAÇÕES
Se o seu cabelo for escuro e você tiver dificuldade em fazer a araruta ou o amido desaparecer, dá para adicionar um pouco de cacau em pó à mistura.

DESODORANTE NATURAL EM PÓ COM BICARBONATO DE SÓDIO

Para evitar os sais de alumínio presentes nos desodorantes convencionais, além de muitos outros químicos sintéticos, você pode usar uma solução caseira – e muito fácil. Assim você cuida da sua saúde enquanto reduz a quantidade de embalagens plásticas no seu banheiro.

Os desodorantes convencionais usam sais de alumínio (cloridrato de alumínio, cloreto de alumínio ou complexos de alumínio-zircônio) para impedir o suor (os famosos antitranspirantes).

Alguns **estudos recentes**[8] encontraram uma maior quantidade de alumínio nas células da mama de mulheres, sugerindo que ele pode ser uma causa para o aumento dos casos de câncer de mama. Outros estudos sugerem que o alumínio também aumenta as chances de se desenvolver a doença de Alzheimer. Os estudos não são definitivos, como nada na ciência, mas eu prefiro evitar esses ingredientes por conta das pesquisas que já foram publicadas.

Além de evitar esses sais de alumínio, também evitamos uma série de químicos sintéticos nada legais como conservantes (parabenos, BHA e BHT, liberadores de formol) e agentes desinfetantes (triclosan). E, claro, reduzimos a quantidade de lixo de embalagens mensais.

INGREDIENTES
Bicarbonato de sódio

UTENSÍLIOS
Pote para armazenar
Pincel de blush para aplicar

1 Passe o bicarbonato com o pincel nas axilas logo depois do banho. **2** Pronto!

IMPORTANTE

Algumas pessoas têm alergia ao bicarbonato por ele ser muito básico e forte. Faça um teste antes de começar a usar. Se você sentir algum tipo de ardência ou incômodo, lave com água e suspenda o uso. Não insista, pois sua pele pode ficar muito machucada. Se este for o seu caso, use o desodorante com leite de magnésia.

DESODORANTE NATURAL LÍQUIDO COM LEITE DE MAGNÉSIA

INGREDIENTES

2 colheres (sopa) de leite de magnésia

100 ml de água

¼ de colher (chá) de óleo essencial de capim-limão

UTENSÍLIOS

Pote de vidro com válvula spray

1 Misture tudo no pote com válvula spray. **2** Passe nas axilas conforme a necessidade. Dura de 1 a 2 meses.

VARIAÇÕES

Não se esqueça de pesquisar a toxicidade dos OE antes de escolher o que você vai usar para a mistura. Além do de capim-limão, que eu recomendo pelo cheiro delicioso, você pode usar, por exemplo, o de melaleuca se tem problemas com o odor do suor, e o de lavanda se tem a pele mais sensível.

DESODORANTE NATURAL EM CREME COM BICARBONATO DE SÓDIO

A quantidade reduzida de bicabornato de sódio em pó nesta receita serve para evitar as alergias. Mesmo assim, fique ligado! Teste sempre antes e respeite seu corpo e seus limites.

INGREDIENTES

3 colheres (sopa) de manteiga de manga

2 colheres (sopa) de farinha de araruta ou amido de milho orgânico

1 colher (sopa) de bicarbonato de sódio

¼ de colher (chá) de óleo essencial de lavanda + óleo essencial de melaleuca

UTENSÍLIOS

Vasilha de vidro ou alumínio

Pote de vidro para armazenar

1 Misture tudo menos os óleos essenciais na vasilha e derreta gentilmente em banho-maria. Tire do vapor assim que a manteiga estiver derretida e deixe esfriar. **2** Quando a mistura estiver morna, quase fria, mas antes de endurecer, coloque os óleos essenciais. Misture bem e guarde em um potinho de vidro bem vedado. **3** Passe nas axilas com o dedo conforme a necessidade. Dura de 1 a 2 meses.

VARIAÇÕES

Você pode usar outros óleos essenciais de sua preferência, como o de capim-limão, mas lembre-se de conferir as indicações de uso. Jamais use os cítricos, que não podem pegar sol, pois podem causar queimaduras gravíssimas!

Você pode trocar a manteiga de manga por óleo de coco se preferir. A diferença é que o óleo de coco derrete no calor, então, escolha um potinho bem vedado para não vazar! O óleo de coco também tem um toque mais oleoso, mais "molhadinho" que a manteiga de manga, que tem um toque mais "sequinho". Escolha o que você preferir.

Se você mora em um lugar quente e não conseguiu achar a manteiga de manga, pode usar a proporção de 2 colheres (sopa) de manteiga de cacau para 1 colher (sopa) de óleo de coco e assim seu desodorante não fica líquido.

CREME DENTAL

Um dos problemas dos cremes dentais, além da embalagem de plástico, raramente reciclada, é que eles contêm vários ingredientes químicos nocivos como flúor, sulfatos, triclosan e podem até conter microesferas de plástico! Apesar desses químicos serem considerados essenciais e eficientes ao combate de bactérias nocivas que causam placa e outros problemas bucais, eles também estão ligados a vários problemas de saúde como alergias e câncer.

Agora, por mais incrível que pareça, você pode escovar os dentes com apenas duas coisas: óleo de coco e bicarbonato de sódio! O óleo de coco tem propriedades antifúngicas e anti-inflamatórias, além de comprovadamente combater bactérias nocivas para a boca. O bicarbonato de sódio, por sua vez, tem duas funções: retirar, através da abrasão, a placa dos dentes, reduzindo casos de gengivite e, por ser alcalino, criar um ambiente com pH inadequado para a proliferação das bactérias.

INGREDIENTES
3 colheres (sopa) de óleo de coco
1 colher (sopa) de bicarbonato
   de sódio
10-15 gotas de óleo essencial de
   hortelã (opcional)

UTENSÍLIOS
Pote de vidro
Colher pequena para aplicar

1 Misture tudo no pote de vidro. Se o óleo de coco estiver líquido, deixe-o na geladeira até solidificar. **2** Na hora de usar, aplique com uma colherinha a quantidade de creme dental desejado na sua escova. Você também pode usar um potinho com válvula tipo *pump* para facilitar o uso e evitar a contaminação. Essa quantidade dura cerca de 1 mês para uma pessoa adulta.

DICAS

\# Lave a pia com água quente e sabão de coco frequentemente (veja mais no capítulo Área de Serviço). O óleo costuma ficar depositado nela.

\# A escova também costuma ficar um pouco engordurada. Se você se incomodar, passe água fervente de vez em quando.

LIMPEZA DA PELE

A gente aprendeu que a pele está sempre excessivamente suja, que precisamos de limpeza de pele em clínicas de estética, tônicos faciais com ácido acetilsalicílico, muita esfoliação e máscaras. Isso tudo resultou em uma geração com pele oleosa ou ressecada. Pele oleosa e pele seca não são tipos de pele. Essas características são sintomas. Tipo de pele é: negra, sensível, sardenta.

O excesso de limpeza pode gerar oleosidade porque, como toda a hidratação natural é retirada, a pele produz mais e mais para tentar repor. É o famoso efeito rebote. Outro sintoma que pode ocorrer é uma pele ressecada, quando ela não consegue manter a hidratação e começa a descamar facilmente. E, muitas vezes, as pessoas têm os dois sintomas ao mesmo tempo (a famosa pele mista).

Para limpar a pele do rosto você pode usar só água. Sim, parece loucura. Parece que vai dar errado. Mas se você usar só água no banho, sendo quentinha, já ajuda a limpar a gordura. Minha pele é sensível e eu sempre tive problema com oleosidade e foi só depois que parei de lavar com sabonete que, adivinha, minha pele deixou de estar sempre oleosa e melhorou muito.

Mas não é todo dia que a gente consegue lavar só com água, porque usamos maquiagem, protetor solar ou outros cosméticos. Sempre prefira tirar os produtos do seu rosto com a receita de demaquilante natural apresentada na página 101. Você não precisa lavar o rosto com sabonete depois de usar o demaquilante. Mas, se usa muita maquiagem, dá para usar um sabonete natural de vez em quando.

Natural mesmo (lembra como ler rótulo de produtos?). Faça espuma com as mãos e lave o rosto com água fria. Depois, não se esqueça de passar um hidratante (que pode ser um óleo vegetal puro).

Para o banho, minha dica sobre a pele do rosto continua: prefira lavá-la só com água. Eu costumo passar o sabonete só nas regiões mais sujas, como axilas e pés. No corpo, eu uso a espuma que faço com as mãos, sem esfregar a barrinha inteira, para não machucar a pele.

COMO ACHAR UM SABONETE NATURAL

Os sabonetes naturais são feitos com óleos e manteigas vegetais saponificados preservando toda a sua glicerina natural, o que permite que eles façam uma limpeza suave, sem agredir a pele e hidratando-a.

Existem dois processos mais comuns usados pelas saboarias naturais, o *hot* e o *cold process*. No *hot process,* os ingredientes são misturados a quente. O processo de saponificação acontece na hora,

e por isso o tempo de cura depois é mais curto, só o suficiente para o sabão endurecer. Já no *cold process* os ingredientes são misturados a frio e o processo de saponificação termina de acontecer na cura, que leva cerca de trinta dias. Os dois são métodos bastante antigos (milenares mesmo!) e rendem sabonetes maravilhosos.

Os sabonetes naturais normalmente são veganos porque só usam óleos e manteigas vegetais, mas alguns usam mel e própolis. Leia a composição.

Atualmente, existem muitas marcas de saboaria artesanal. Procure por sabonetes naturais, *cold* ou *hot process*. Fuja dos que são vendidos como "de glicerina" e muito baratinhos, porque eles provavelmente foram feitos com base glicerinada pronta para fazer sabão, que pode ter vários ingredientes ruins como **parabenos** e **sulfatos**. Na página 247, indico várias marcas que conheço e recomendo.

Se você não puder comprar os sabonetes artesanais, pode comprar sabonetes industriais escolhendo um que não tiver nenhum dos ingredientes da **lista dos quinze (veja na página 86).** Ou você pode fazer um curso de saboaria e começar a fazer os próprios sabonetes em casa: é muito mágico e libertador. Mas procure profissionais qualificados para **aprender direitinho.**

Veja mais informações na página 152, no capítulo Área de Serviço.

DICAS PARA OS SABONETES DURAREM MAIS

Corte a barra em dois e use cada metade por vez.

Use uma saboneteira com bom escoamento de água para o sabonete não derreter facilmente.

Use só nas partes do corpo que precisam de mais limpeza, em vez de esfregar a barra por toda a pele embaixo do chuveiro.

PROTETOR SOLAR

Uma receita caseira de protetor solar parece uma das melhores dicas que eu poderia dar para você neste livro. Mas, infelizmente, isso não vai acontecer. Qualquer pessoa que seja um pouquinho séria sobre cosméticos naturais vai dizer o mesmo que eu: isso é loucura. Um protetor solar funciona de uma forma muito complexa e desempenha funções bem específicas. De acordo com a Sociedade Brasileira de Dermatologia, um protetor solar deve "ter amplo espectro, ou seja, ter boa absorção dos raios UVA e UVB, não irritar a pele, ter certa resistência à água e não **manchar a roupa".[9]**

COMO UM PROTETOR SOLAR FUNCIONA

A maior parte dos protetores usa dois tipos de tecnologia para garantir a proteção solar: a química e a física.

A primeira funciona com substâncias que anulam a radiação solar e só começa a agir depois de alguns minutos, depois que a pele absorve o cosmético. Já a proteção física é normalmente imediata, porque usa substâncias como dióxido de titânio e óxido de zinco para criar um filme protetor na pele, repelindo os raios solares através da reflexão.

O fator de proteção solar (FPS) indica a capacidade que o protetor solar tem de prevenir danos causados por raios UV à pele. Demora cerca de vinte minutos para a pele desprotegida começar a ficar vermelha. Usar um protetor FPS 15 teoricamente prolonga esse período cerca de quinze vezes – trezentos minutos, ou cinco horas. **O FPS 15 é capaz de filtrar cerca de 93% dos raios UVB, enquanto o FPS 30 protege de cerca de 97% e o FPS 50, cerca de 98%.[10]**

Mas, independentemente do fator, nenhum protetor solar garante proteção por mais de duas horas sem reaplicação. Ficar com a pele vermelha é sinal de que ela sofreu danos do UVB, mas não nos diz sobre os danos causados pelo UVA. Ou seja, não ficar vermelho não significa não ter tido danos por exposição solar.

Os raios UVB são carcinogênicos e sua ocorrência tem aumentado por causa da destruição da camada de ozônio. É por isso que hoje os raios UVC, ainda mais perigosos, estão alcançando a atmosfera também. Já os raios UVA independem da camada de ozônio e causam câncer de pele em quem se expõe nos horários de sol forte (das dez da manhã às quatro da tarde) continuamente e ao longo de muitos anos. Os raios UVA iniciam ou pioram quadros de doenças causadas pela exposição ao sol, são responsáveis pelo envelhecimento da pele e seus efeitos são **cumulativos.**[11]

Isso quer dizer, portanto, que usar protetor solar não deixa você livre para tomar o sol do meio-dia sem correr risco algum. E as chances de você estar passando menos produto do que o necessário também são altas. A Sociedade Brasileira de Dermatologia (SBD) recomenda que se use uma quantidade equivalente a uma colher (chá) no rosto e 3 colheres (sopa) no corpo, não deixando nenhuma área desprotegida, reaplicando a cada duas horas ou em caso de sudorese intensa ou contato com água. Ou seja, a cada mergulho no mar ou na piscina, a cada secada com uma toalha e a cada duas horas deveríamos reaplicar o protetor solar para garantir a proteção esperada pelo FPS do produto.

POR QUE NÃO FAZER PROTETOR SOLAR EM CASA

Já deu para entender como é complexo o funcionamento de um protetor. Mas se dá para fazer hidratante e desodorante, por que não dá para fazer protetor em casa também? Por muitos motivos, a começar pelo fato de que, em casa, não temos como testar a eficácia desse produto. Essa eficácia inclui:

- # Estabilidade da fórmula depois de aplicada na pele.
- # Conservação do produto após aberto.
- # Qual o FPS da fórmula.
- # Por quanto tempo esse FPS permanece protegendo a pele.
- # Se essa fórmula protege igualmente todos os tipos de pele.
- # Se essa fórmula é homogênea e cria uma camada adequada para que o FPS seja o mesmo em todas as partes do corpo.
- # Se os ingredientes, como óleos vegetais, não oxidarão depois do contato com o sol.
- # Qual a proteção contra todos os tipos de raios UV, inclusive aqueles cujo dano não aparecem a olho nu.
- # Condição de que não seja irritante, não cause alergias etc.

São necessários vários testes em laboratório para descobrir tudo isso, e já deu para entender que não vai conseguir reproduzir todos esses fatores em casa. E como vimos, **a pele não ficar vermelha não significa que o protetor é seguro,** já que os raios UVA nem sempre causam danos visíveis.

COMO ESCOLHER UM PROTETOR SOLAR

Antes de mais nada, escolha sempre um protetor solar certificado nos órgãos do país onde você mora, como a Anvisa, no caso do Brasil. Isso é importante para garantir que foram feitos testes em laboratório que comprovam que ele funciona no quesito mais importante: proteger a pele do sol. Mas, além disso, é importante também escolher um protetor com uma composição menos nociva, já que muitas substâncias usadas para proteger do sol foram consideradas ruins em alguns estudos, sugerindo que as substâncias usadas como filtros UV podem imitar o estrogênio e serem um disruptor endócrino do nosso sistema hormonal, **por exemplo.**[12] Mais uma vez, leia o rótulo e evite os seguintes **ingredientes:**

As informações dessa lista são dos relatórios do EWG, disponível na sua plataforma *Skin Deep*.

OXYBENZONA

É um filtro químico muito utilizado nos protetores. Relacionado com casos de endometriose, altera a produção de esperma em animais e age como estrógeno no corpo, além de ser considerado bastante alérgico para a **pele.**[13] Também é suspeito de ser nocivo para os recifes de corais, causando danos ao seu DNA e impedindo que eles cresçam naturalmente ao bloquear os raios UV. Seu uso já foi proibido em alguns países, como a Suíça.

Procure nos rótulos por: BP-3, benzofenona-3 ou benzophenone-3, oxybenzone.

OCTINOXATO

Filtro químico relacionado a alergias de pele e a distúrbios hormonais. Foi encontrado em amostras de leite materno.

Procure nos rótulos por: ethylhexyl methoxycinnamate, octylmethoxycinnamate, octinoxate.

HOMOSALATO

Disruptor hormonal que afeta o estrogênio e a progesterona. Pode ser absorvido por camadas mais profundas da pele. Suspeito de ser uma toxina para o meio ambiente, além de ser cumulativo.

Procure nos rótulos por: homosalate; 3,3,5-trimethyl-salicylate cyclohezanol.

PABA

Já foi muito comum em filtros solares, mas hoje é evitado por causar alergias de pele e sensibilidade ao sol. Pesquisas indicaram que tem potencial cancerígeno.

Procure nos rótulos por: 4-aminobenzoic aciz, aminobenzoic acid, para aminobenzoic acid.

4-METILBENZILIDENO-CÂNFORA

Disruptor hormonal com possível toxicidade para a tireoide e não recomendado para ser usado como filtro solar por pesquisas europeias. Pode ser absorvido por camadas mais profundas da pele. Persistente e cumulativo no meio ambiente.

Procure nos rótulos por: 4-methylbenzylidene camphor.

ENSULIZOLE

Apesar de ter um risco considerado baixo, é suspeito de liberar radicais livres quando exposto ao sol, causando prejuízo ao DNA. Também pode causar câncer.

Procure nos rótulos por: phenylbenzimidazole sulfonic acid.

COMO SE PROTEGER DO SOL

Não pegue o sol das dez da manhã às quatro da tarde. Fique na sombra, acorde mais cedo ou espere um pouco para ir para a praia ou para a piscina. Se você pega sol nesse horário por causa do trabalho ou da sua rotina, capriche no filtro solar e nas proteções físicas, como chapéu, óculos de sol com FPS, roupas compridas (algumas têm proteção também!), panos, tendas, guarda-sol. No caso do guarda-sol, tecidos de algodão mostraram ser mais eficazes, barrando 50% dos raios UV contra apenas 5% dos tecidos **sintéticos.**[14]

Se você for pegar sol por um período menor que vinte minutos, não é extremamente necessário passar filtro solar. O sol é saudável porque estimula a pele a produzir a vitamina D. Por isso, em certa medida, ele é mais que bem-vindo. Mas, antes de se expor ao sol por muito tempo, passe um filtro solar e reaplique-o a cada duas horas na quantidade recomendada pela SBD. Reaplique toda vez que mergulhar, nadar, suar muito, se secar com toalha. Não se esqueça de que nenhum protetor protege completamente, por isso unir os tipos de proteção é sempre a melhor escolha!

XAMPUS E CONDICIONADORES

Antes de falar sobre rotinas de cuidados com cabelo, vamos assinalar aqui os ingredientes que devem ser evitados nesses produtos: **parabenos, óleo mineral ou parafina líquida e petrolatos em geral, sulfatos e silicones**. Para saber como achar esses ingredientes na composição dos produtos, dê uma lida na lista dos quinze (página 86).

Os produtos para cabelo normalmente contêm quase **todos** os ingredientes da lista dos quinze a serem evitados. Os xampus e condicionadores convencionais são extremamente agressivos na limpeza e, se não fossem ingredientes como silicones e parafinas, que dão a sensação de maciez, nossos cabelos seriam bastante opacos – porque ressecados eles já são.

É provável que, ao começar a usar xampus naturais, você passe por uma **fase de transição**. Pode ser que o seu cabelo fique feio por uns dias ou porque o método que você escolheu não é o melhor para o seu fio ou porque o produto não é o mais adequado ainda. Mas, de uma forma geral, continue e não desista, pois uma hora melhora.

A dica mais importante para parar de usar produtos que não são naturais no cabelo é primeiro eliminar os condicionadores convencionais, que têm silicones e óleo mineral na composição, já que os sabonetes naturais não conseguem tirar essas substâncias dos fios.

LAVANDO O CABELO COM XAMPU (*LOW POO*)

Bem, precisamos lavar os cabelos e o método mais conhecido é o xampu. O menos impactante é o **xampu sólido.** Como ele é mais concentrado, vai render mais (dura de 2 a 3 meses), além de muitos terem embalagem só de papel. Os xampus artesanais em barra são geralmente naturais também, mas lembre-se do que falamos no tópico sobre sabonete. Nem tudo que é artesanal é necessariamente natural. Na dúvida, sempre leia os ingredientes.

Esses xampus naturais se enquadram na categoria **low poo** –

esse é um termo utilizado para uma técnica que consiste em usar xampus sem sulfatos pesados ("*poo*" vem da palavra *shampoo*, em inglês). Como aqui a gente não quer sulfato de nenhum tipo, os xampus indicados são liberados.

Existem xampus naturais líquidos também, mas as embalagens plásticas geram bastante lixo. Por isso o em barra é o meu preferido!

PARA LAVAR OS CABELOS COM XAMPU SÓLIDO

1 Esfregue a barra na raiz dos cabelos molhados (se tiver muito cabelo ou se ele for volumoso, vá dividindo e esfregando em cada parte). **2** Massageie e esfregue o couro cabeludo muito bem. Se você tiver o cabelo muito comprido, talvez precise passar o xampu também no comprimento dos fios e massagear bem. **3** Enxágue o cabelo. **4** Se sentir que ele não ficou limpo, repita o processo.

Esse tipo de xampu precisa de um pouco mais de tempo e quantidade que os convencionais, por sua limpeza ser mais delicada. Lavar o cabelo com produtos naturais significa: menos espuma na hora e sensação de cabelo "duro" logo após enxaguar. Isso acontece porque os sulfatos criam aquela espuma em abundância que conhecemos e os silicones dão a sensação de maciez.

Mas a falta dessas sensações não quer dizer que a limpeza não aconteceu nem que o cabelo está sendo maltratado, okay? Só estamos desacostumados à textura do nosso cabelo!

LAVANDO O CABELO SEM XAMPU (*NO POO*)

Sim, dá para lavar o cabelo sem usar xampu! A técnica, que se chama *no poo*, consiste em usar outras opções para lavar o cabelo, como bicarbonato de sódio e vinagre de maçã ou chás e infusões.

PARA LAVAR OS CABELOS COM BICARBONATO DE SÓDIO E VINAGRE

1 Para cabelos médios, coloque 1 colher (chá) de bicarbonato de sódio em um copo e a mesma quantidade de vinagre em outro. Para cabelos muito volumosos ou compridos, use 2 colheres (chá) de cada produto. Ajuste a quantidade se achar muito ou pouco. **2** Leve para o banho e preencha os dois copos de água do chuveiro. **3** Separe o cabelo em mechas e vá derramando a mistura de bicarbonato aos poucos, esfregando o couro cabeludo (e não o comprimento dos fios). Enxágue bem. **4** Faça a mesma coisa com o vinagre, mas, dessa vez, foque no comprimento dos fios. O bicarbonato deixa o pH do couro cabeludo básico, então, o vinagre é essencial para dar brilho e maciez, já que o pH natural dessa região é mais ácido. Depois enxágue bem.

Algumas pessoas dizem que o cabelo começa a ficar estranho depois de um tempo usando essa técnica, então, eu sugiro ter um xampu em barra natural e intercalar de vez em quando. Eu uso essa lavagem como uma lavagem mais poderosa, a cada 15 dias ou mais, dependendo do estado do cabelo.

PARA LAVAR OS CABELOS COM CHÁ

Faça um chá bem concentrado usando 2 xícaras de água e 2 colheres (sopa) do chá a granel escolhido. Jogue no cabelo e massageie o couro cabeludo. Depois enxágue bem.

Você pode escolher o chá de acordo com a propriedade que deseja obter:

Chá verde: ajuda no controle da oleosidade do couro cabeludo.

Chá de alecrim: indicado para quem tem problema de caspa. É estimulante e ajuda no combate à queda e no crescimento dos fios.

Chá de camomila: anti-inflamatório e calmante, bom pra quem tem dermatite seborreica ou outras condições inflamatórias no couro cabeludo. Pode clarear um pouco os fios se houver muita exposição ao sol.

Eu recomendo usar pelo menos uma vez por semana um xampu sólido junto com os banhos de chás para limpar bem os fios. Os chás podem ser usados como tratamentos adicionais também, caso você queira resolver algum dos problemas que eles tratam.

LAVANDO OS CABELOS COM CONDICIONADOR (OU *CO-WASH*)

Não, a gente não pulou para a parte da hidratação. Ainda estamos falando de limpeza. A técnica *co-wash* consiste em lavar os cabelos com condicionadores. É a opção mais indicada para cabelos cacheados. Nesse tipo de cabelo, os fios são mais "secos" estruturalmente falando, pois a oleosidade natural do couro cabeludo não consegue chegar nos fios tão rapidamente pelo cacho quanto por um fio liso.

É necessário intercalar essa técnica com o uso de um xampu (natural), e a frequência é a saúde dos seus fios que vai dizer. Não dá para usar todos os dias porque o excesso de condicionador pode dar dermatite seborreica, caspa e deixar o cabelo feio. Enxágue muito bem sempre!

Os condicionadores não podem ter, de jeito nenhum, **parafinas ou derivados de petróleo,** principalmente se você estiver usando xampus naturais. Como estes não têm sulfatos, não conseguem retirar essas substâncias dos fios.

PARA LAVAR OS CABELOS COM CONDICIONADOR

1 Com os cabelos molhados, passe o condicionador no couro cabeludo massageando bem. Enxágue. **2** Agora, passe o condicionador no comprimento dos fios. Se seu cabelo for crespo, vá fazendo por mechas até passar em todo o cabelo. Deixe agir por cerca de 20 minutos. **3** Enxágue bem.

HIDRATANDO OS CABELOS DE UMA FORMA NATURAL

Muita gente que para de usar os xampus convencionais – cujo primeiro ingrediente (e, portanto, o que tem mais) é o Lauril Sulfato de Sódio – percebe um cabelo muito menos ressecado em pouco tempo. Isso acontece porque, sem usar xampus agressivos, a oleosidade natural não se perde e os fios não são maltratados. Por isso, é provável que você não vá precisar hidratar o cabelo diariamente como antes, principalmente se o seu cabelo for curto, liso e fino.

Para quem tem o cabelo cacheado ou crespo, como o fio é naturalmente mais seco, uma hidratação extra é importante para ele ficar mais maleável, mais brilhante e desembaraçar com mais facilidade. Quem tem cabelo supercomprido também precisa de uma ajudinha, porque a oleosidade não dá conta de tanto cabelo.

HIDRATANDO OS CABELOS COM ÓLEOS VEGETAIS

Você pode usar óleos vegetais para hidratar os fios. Indico esse método para todo mundo que sentir o cabelo ressecado. O único cuidado é escolher óleos vegetais que são capazes de serem absorvidos pelos fios do cabelo como **óleo de jojoba, abacate, amêndoas ou coco.**

\# Para usar como finalizador, pingue 4-5 gotas de óleo na palma da mão, espalhe bem entre as mãos e vá aplicando nas pontas do cabelo. Passe bem pouco para o cabelo não ficar com aspecto pesado e só use se o cabelo for mais seco mesmo!

\# Para fazer uma hidratação mais intensa, passe 1 colher (chá ou sopa, dependendo do tamanho do cabelo) no comprimento dos fios. Prenda do jeito que achar melhor (em uma trança ou em um coque, por exemplo) e deixe agir por algumas horas (pode ser durante a noite de sono). No outro dia, lave com xampu para limpar o excesso de óleo.

\# Para fazer uma máscara, você pode bater 1 colher (chá) de óleo vegetal com 1 colher (sopa) de abacate, babosa ou mamão. Todos eles são ótimos para o cabelo! Aplique em todo o cabelo e deixe agir por meia hora entes de lavar.

HIDRATANDO COM CONDICIONADORES NATURAIS

Existem versões industrializadas ou artesanais de condicionadores naturais. Eles precisam ser livres de derivados de petróleo, silicones, parafina líquida, sulfatos, conservantes agressivos (como parabenos), liberadores de formol, corantes e essências sintéticas. Ou seja: não podem ter nenhum daqueles ingredientes da **lista dos quinze (veja na página 86)**.

Por enquanto, é mais fácil achar condicionadores cremosos, que precisam de embalagens. Já existem condicionadores sólidos, que são tão incríveis como os xampus em barra: duram muito mais porque são concentrados e só precisam de uma embalagem de papel simples, livre de plástico.

Não confie no marketing das marcas. Leia sempre os rótulos para se certificar de que não há tranqueiras no seu condicionador. Na página 247, há uma lista com recomendações de marcas bem legais.

O QUE PARAR DE USAR

ALGODÃO

Em vez de usar as bolinhas de algodão quimicamente tratado, transgênico, poluente e que vai para os aterros sanitários ao virar lixo do banheiro (um combo de coisas ruins!), a gente pode trocar isso tudo por uma solução simples: **discos reutilizáveis de tecido**.

A primeira vantagem é que são superbaratos. Para fazer, você pode cortar e reutilizar o tecido de toalhas velhinhas (que de outra maneira iria para o lixo) ou ainda separar uma toalha só para esse uso específico. Outra opção é fazer disquinhos de crochê: só precisa de uma agulha e linha 100% algodão (de preferência, orgânico). O tutorial está no QR Code da página ao lado.

Os discos de crochê podem parecer ásperos por causa da textura, mas são supermacios. A textura do crochê, inclusive, ajuda a tirar melhor a maquiagem, principalmente dos olhos. É muito bom mesmo. E não tem problema usar a toalha, só não pode esfregar o rosto como se não houvesse amanhã.

Os discos provavelmente vão ficar manchados da maquiagem, mas não tem problema nenhum. Se você se incomoda, pode escolher fios coloridos ou tingir em casa com tintas naturais como beterraba. Fica lindo e único.

Além de ajudar a tirar a maquiagem, os discos de tecido servem para passar tônico, máscaras de tratamento, esfoliantes, fazer compressa na área dos olhos e qualquer outra coisa em que se usaria algodão.

HASTES FLEXÍVEIS COMUNS

As hastes flexíveis com pontas de algodão também são superdispensáveis na nossa vida. Além de serem muito ruins para o meio ambiente por terem o cabo feito de plástico e irem para o aterro sanitário, também fazem mal, pois empurram a cera para dentro da orelha interna.

Se você tem filho pequeno, bichinhos ou usa a haste para outras coisas que não são limpar a orelha, compre as que são feitas de papel – que se decompõe muito rapidamente. Outra opção é usar um palitinho com um substituto do algodão, como os disquinhos de crochê, toalhas ou mesmo um pedacinho de tecido que pode ser lavado.

ESCOVA DE DENTE DE PLÁSTICO

O problema das escovas de plástico que a gente está acostumado é basicamente que elas não são recicláveis de um modo geral porque misturam plásticos que não têm valor comercial na nossa **coleta seletiva.**

A previsão de decomposição do plástico é só isso mesmo: uma previsão. Como ele existe há pouco tempo no nosso planeta, não sabemos se ele demora cem, duzentos, quinhentos anos para se decompor ou se isso nunca acontece.

Por exemplo, quanto mais colorido, menos chance de ser reciclado.

Elas normalmente são descartadas na separação do lixo, vão para aterros sanitários e, como são feitas de plástico, vão ficar centenas de anos ali até, talvez, se **decomporem**. Isso quando chegam até a coleta seletiva, porque a maioria das pessoas as descarta junto com o lixo do banheiro.

Mesmo que as escovas fossem recicladas, ainda seria um processo caro que usa água, energia e continua colocando plástico no meio ambiente. A gente sempre precisa lembrar que a **reciclagem é um processo industrial** que usa bastante energia, água, e é danoso para o meio ambiente também. É menos que usar material novo, mas não é isento de problemas.

Se seguirmos a recomendação dos dentistas de trocar de escova a cada três meses mais ou menos, são quatro escovas por ano; em vinte anos serão oitenta! Multiplique isso por todo mundo que mora com você na sua casa e essa pilha começa a parecer infinita.

Já existe uma versão muito mais legal para escovar os dentes sem precisar de plástico: as **escovas de dente de bambu**!

UMA VIDA SEM LIXO　　　133

O bambu é uma madeira que cresce muito rápido (pode chegar a 10 centímetros por dia) usando pouca água e tem naturalmente propriedades antifúngicas. Essas escovas podem ir para a composteira, então, depois que você usar, pode enterrar por aí que elas se decompõem naturalmente e em pouco tempo.

Algumas versões dessas escovas ainda não possuem cerdas que possam ir para a compostagem, mas algumas marcas já estão pesquisando e trazendo para o mercado opções 100% vegetais. As versões com cerdas de nylon são menos impactantes, pois ele pode ser descartado junto com o plástico na coleta seletiva.

Já existem algumas marcas dessas escovas no Brasil e elas já começaram a se popularizar em farmácias e mercados comuns em vez de só estarem disponíveis em lojas de produtos naturais. Aos poucos, a gente vai ganhando o mundo com as opções mais sustentáveis.

A minha escova de dentes de bambu dura cerca de quatro meses até precisar trocar e, depois, eu costumo separar para a limpeza de cantinhos do banheiro, para escovar a sobrancelha e até como escova de dentes de emergência (é só deixar separado na bolsa). Se tiver que jogar alguma fora mesmo, eu tiro as cerdas com um alicate e descarto-as dentro de uma garrafa PET para que elas não se percam durante a separação do lixo. O cabo de bambu, eu coloco na minha composteira, uso como marcador na horta ou enterro por aí. Também pode servir de brinquedo para cachorros – a Filó adora.

FIO DENTAL COMUM

Já existem opções biodegradáveis de fio dental. Uma, mais famosa, é a opção feita de fios de seda, que é um fio natural. Também há uma marca australiana fazendo com fios a partir da fibra do bambu. Por enquanto, nenhuma das duas está disponível no Brasil, então, a gente segue usando o fio dental que temos até acabar, torcendo para que essas novas opções não demorem muito para chegar por aqui. Se você tiver como comprar lá fora ou pedir para alguém trazer, já aproveita e traz vários para estocar e dar de presente para a família e os amigos – assim todo mundo gera menos lixo.

Apesar de algumas pessoas usarem e recomendarem um tipo de "fio dental de água", um jato de água que teoricamente limparia entre os dentes, os dentistas com quem conversei não recomendam. Para eles, o atrito físico do fio dental é mais importante e, de fato, retira a placa bacteriana grudada nos dentes.

APARELHO DE BARBEAR DESCARTÁVEL

Como quase toda brasileira, eu fazia minha depilação com cera quente. Em casa, eu usava aqueles aparelhos *roll-on* que esquentam a cera (vendida em refil). Nas axilas, eu usava lâmina porque, convenhamos, dói demais fazer com cera.

O problema é que nenhum desses métodos gerava resíduos 100% recicláveis ou compostáveis. O *roll-on* da cera é de plástico rígido, impossível de limpar e vai para o aterro sanitário. Sem contar os paninhos usados para

ajudar a tirar a cera da pele, na sua maioria feitos de tecidos sintéticos que também vão para os aterros sanitários (como a cera não era lavável, os panos acabavam sendo jogados fora). Os aparelhos descartáveis, por sua vez, também não são recicláveis porque misturam materiais (plásticos diferentes e metal) e nem a gente nem a coleta seletiva consegue separar o material para ser reciclado.

Foi aí que eu descobri um barbeador no qual você só troca a lâmina e não tem nada de plástico: o corpo é todo de metal, assim como a lâmina descartável, que pode ser reciclada. Se você é jovem como eu, há grandes chances de achar o máximo essa invenção moderna para a vida lixo zero. Mas a verdade é que esse modelo é superantigo, de décadas atrás, quando o plástico não era esse material barato e abundante e as coisas eram feitas para durar anos.

Esse barbeador tem várias vantagens: dá para usar para fazer barba (para quem tem), para depilar a axila (para quem quer) e ainda

BANHEIRO

para usar nas pernas e virilha (com cuidado!). Ou seja, serve para homens e mulheres. Ele não tem plástico. E é muito mais eficiente porque a lâmina é muito mais afiada, muito mesmo. Por isso, você precisa passar só uma vez na pele para tirar os pelos, o que faz com que a lâmina tenha uma vida útil muito maior. Algumas lâminas ainda podem ser usadas dos dois lados (elas têm uma marcação 1-2 de um lado e 3-4 de outro). É só inverter e continuar usando. É muito, mas muito mais barato que continuar usando os aparelhos descartáveis. Mesmo que você compre um aparelho mais caro, em um ano, o valor já se equipara ao que você gastaria comprando os barbeadores comuns.

DICAS DE OURO PARA NÃO SE MACHUCAR

Não faça pressão. Deixe o barbeador e a lâmina fazerem seu trabalho suavemente.

Faça movimentos curtos, tomando cuidado com a curvatura da área que você está depilando (muito cuidado com joelhos e calcanhares!).

Use um sabonete natural para fazer espuma e facilitar a depilação. Dá para usar aquele pincel clássico de fazer espuma junto com o sabonete.

Cuidado com o ângulo: o ideal é segurar o barbeador em um ângulo de cerca de 30º.

Não se esqueça de hidratar a pele depois. Pode ser com óleo de coco ou de amêndoas, ou usando a manteiga hidratante da página 96.

CERA DE DEPILAÇÃO DE AÇÚCAR E VINAGRE DE MAÇÃ

Apesar de eu amar demais o barbeador e ter começado a usar em todas as áreas em que me depilo, sei que tem muita gente que ainda prefere a cera quente. Não é à toa que, no mundo todo, a **brazilian wax** faz tanto sucesso. Esta receita leva só dois ingredientes: açúcar e vinagre de maçã. É natural, feita em casa, biodegradável, lavável e econômica.

"Cera brasileira", como é chamada nos outros países a depilação, principalmente da virilha, que é comum aqui no Brasil.

INGREDIENTES

1 xícara de açúcar branco
1 xícara de vinagre de maçã

UTENSÍLIOS

Espátula para mexer e espalhar
Copo de vidro
Pote de vidro
Tiras de tecido reutilizável

1 Com o fogo desligado, coloque o açúcar e o vinagre em uma panela. 2 Acenda o fogo médio e cronometre exatamente 12 minutos assim que acendê-lo. Comece a mexer a mistura e não pare. 3 Depois que começar a ferver (o que ocorre antes dos 12 minutos, hein?), faça o teste do copo: coloque um pouco da cera no copo. Se a cera ficar durinha, está boa. Se derreter, ainda está muito mole. 4 Quando chegar ao ponto (veja a consistência certa no QR Code da página ao lado) ou quando os 12 minutos acabarem, tire do fogo e transfira a cera imediatamente para o pote de vidro. Se deixar na panela quente, passa do ponto. Espere esfriar por uns 15 minutos antes de usar. Se você não conseguir encostar no pote de vidro é porque ainda está muito quente! Cuidado para não se queimar, viu? Espalhe com uma espátula pela pele na direção dos fios, fazendo uma camada bem

fininha. Coloque uma tira de tecido e puxe rapidamente na direção contrária. Use o tecido mais umas duas ou três vezes e, depois, separe (sem jogar no lixo!).

5 Quando terminar a depilação, coloque as tiras de tecido com cera em um balde com água. Como a cera é feita de açúcar, vai derreter! Aí é só limpar bem os pelos, lavar, secar e guardar para o próximo uso.

bit.ly/2HKkIDs

Para fazer as tiras de tecido reutilizável para tirar a cera, uma boa opção seria cortar a perna de uma calça jeans que estragou ou alguma roupa que tenha um tecido que não desfie e seja grossinho. Faça várias tiras de cerca de 7 × 15 centímetros.

FRALDA DESCARTÁVEL

As fraldas descartáveis são feitas com materiais muito parecidos com os dos absorventes: algodão, gel absorvente, plástico, cola. Elas precisam ir para o lixo comum porque são consideradas rejeito – não podem ser recicladas nem compostadas. E a estimativa é que cada fralda demore pelo menos quinhentos anos até começar a se degradar. Como um bebê usa de seis até doze fraldas por dia, dependendo da idade, são cerca de 5.000 fraldas ao longo da sua pequena vida. É um número absurdo, e imaginar isso tudo empilhado faz a gente ter noção do quão problemático é esse lixo!

Hoje em dia, os pais podem optar por fraldas de pano. Com ajuda das máquinas de lavar roupas e com o detergente líquido natural que ensino a fazer na página 162, fica fácil lavar essas fraldinhas, que estão muito mais modernas. Elas já vêm com uma capinha com botões que ajudam a ajustar o tecido no corpo do bebê. Como são muitos botões, a mesma fralda dura até a criança parar de usar fraldas e pode ser guardada para um novo neném. A maior parte dos modelos que existem hoje tem uma espécie de bolso onde você coloca uma toalha que absorve o xixi. É só trocar e lavar.

Um enxoval ideal seria composto por cerca de 24 fraldas completas (capa + toalha) e algumas toalhas extras para trocar quando for um xixi curtinho ou quando você estiver na rua. Assim, o ciclo seria: oito fraldas em uso, oito fraldas lavando e secando e oito fraldas limpas no armário.

Para lavar, é só jogar os resíduos sólidos no vaso sanitário e colocar as fraldas em um balde ou cesto de roupas. Não é necessário, mas, se quiser, pode deixar de molho com uma colher de bicarbonato de sódio. Assim que tiver uma quantidade considerável para lavar na máquina, coloque as fraldas no ciclo mais longo, que bate e tira bem a sujeira dos tecidos. É possível que venham instruções com a fralda que você escolher também.

Além de não gerar uma montanha de lixo que durará por meio século, usar fraldas de pano economiza muito dinheiro. Numa estimativa simples, escolher usar fraldas de pano faz você economizar metade do que gastaria se optasse pelas descartáveis. Isso sem contar que elas podem ser usadas por outras crianças, suas ou de outras pessoas. E, por serem mais respiráveis, é muito difícil o bebê ter assadura usando as de pano. Só vejo vantagens.

PAPEL HIGIÊNICO

Além de abrir minha casa e minhas escolhas, eu também estou abrindo a minha intimidade para você. Reparou? O assunto da vez é papel higiênico e o lixo do banheiro. Esse é um tipo de resíduo muito complicado porque envolve bactérias que podem causar doenças. Normalmente ele vai para o aterro sanitário no saquinho de plástico (que não se decompõe), levando as bactérias a entrarem em contato com pessoas e animais. Nojento, para dizer o mínimo.

Uma solução que poderia ajudar muito, e que é usada na maioria dos países, é jogar o papel junto com os dejetos no vaso sanitário. Mas aqui no Brasil a gente não deve jogar o papel higiênico no vaso porque nem o nosso papel nem os encanamentos das residências são preparados para isso, correndo o risco de entupir o encanamento. Além disso, as empresas que tratam o esgoto de vários estados não recomendam que se faça isso, alegando que não têm capacidade de tratar esse resíduo. Para piorar, tem o fato de que, segundo o Instituto Trata Brasil, só 38% do esgoto produzido no Brasil é **tratado.**[15]

Mas imagine ir ao banheiro e não precisar usar papel higiênico para se limpar (e sair limpinho, claro!).Isso pode ser feito com água! Porque se tem uma coisa que você já deve ter percebido neste livro é que eu não gosto de usar a opção mais comum, mesmo que ela seja reciclável. E nem é tão difícil assim, além de ser mais **saudável,** sabia? É só usar uma ducha higiênica para lavar a região e depois secar com uma toalhinha, que pode ser usada por alguns dias. Depois, é só lavar essas toalhinhas na máquina e pronto. Se elas ficarem muito sujas, dá para colocar de molho com sabão líquido e colocar vinagre no enxágue (tem mais dicas de limpeza no capítulo Área de Serviço, página 149).

O cocô tem bactérias que só o papel não consegue eliminar.

MENSTRUAÇÃO SEM LIXO

Quem menstrua precisa usar todo mês absorventes para conter o fluxo menstrual e poder continuar vivendo a vida normalmente. Apesar dos absorventes descartáveis terem sido importantíssimos para a liberdade das mulheres por possibilitar que elas saíssem de casa sem sujar a roupa – e sem que a menstruação fosse impeditivo para qualquer outra coisa –, eles são um lixo superproblemático.

Feitos de algodão quimicamente tratado, fragrâncias sintéticas, plástico, cola e outras coisas, os absorventes não são recicláveis nem podem ir para a composteira. Seu único destino possível é o aterro sanitário.

Se a gente fizer uma conta rápida aqui, levando em consideração que hoje em dia uma mulher tem em média quatrocentos ciclos e que usa cerca de dez absorventes por ciclo, são 4.000 absorventes ao longo da vida! São 4.000 absorventes por mulher que ficarão para sempre nos aterros sanitários.

Por isso, a gente tem que pensar em opções reutilizáveis de absorventes. Além de serem mais ecológicas, também são muito mais baratas e saudáveis.

CALCINHAS ABSORVENTES

As calcinhas absorventes têm um fundo mais grosso, com tecidos absorventes, sendo que uma das camadas é impermeável, o que impede o vazamento. São superconfortáveis para quem tem fluxo pequeno, ou no começo e no final do ciclo, quando o fluxo é normalmente menor. Também é uma opção para adolescentes que começaram agora a menstruar e não podem usar o coletor, para mulheres que não se adaptaram ao coletor e também para mulheres cujo fluxo é muito intenso e que desejam uma segurança além do coletor.

Já existem várias marcas brasileiras que vendem essas calcinhas. Você pode ter três e se organizar para ter sempre uma em uso, uma lavando e uma limpa durante o ciclo. Assim, você passa os dias da menstruação tranquila e reutiliza todo mês. São práticas e evitam que a gente manche as calcinhas normais quando escapa um pouco da menstruação.

Só tem que lavar com cuidado: usar um saquinho protetor para colocar na máquina de lavar roupas; lavar com detergente natural (ver receita na página 162) e não usar amaciante.

Se preferir, você pode fazer em casa adicionando uma camada de tecido superabsorvente (sabe aquelas toalhas de acampamento?) e, por baixo, uma camada impermeável em uma calcinha. Dica: faça preto para não se preocupar com manchas.

ABSORVENTES DE PANO

Absorventes de pano modernos são feitos no formato perfeito para encaixar na calcinha e têm um fecho de botão para que fiquem no lugar sem precisar da cola dos descartáveis. Eles são laváveis e reutilizáveis e seguram superbem o ciclo também. Um kit com três é suficiente usando a mesma lógica das calcinhas: um em uso, um lavando, e um limpo.

Também é uma opção legal para meninas e adolescentes que acabaram de começar o ciclo e mulheres que não podem usar o coletor. Por ser de algodão, diferentemente dos descartáveis, esse absorvente não abafa a região genital: ou seja, é mais saudável porque deixa respirar.

COLETOR MENSTRUAL

O **coletor menstrual** é um copinho feito de silicone que é usado internamente, sendo colocado dentro da vagina. Ele cria um vácuo nas paredes vaginais e coleta o sangue menstrual. É mais saudável porque, diferente dos absorventes feitos de algodão, o coletor, como diz o nome, não absorve todos os líquidos da vagina além do menstrual, ele só coleta o que tiver em excesso.

Apesar de, em um primeiro momento, parecer muito grande quando a gente olha na foto (veja na página ao lado), depois de um período de adaptação, você não sente absolutamente nada quando está usando.

Durante o uso, depois do tempo recomendado, basta tirar o copinho, esvaziar o conteúdo e lavar na pia. Esse processo tem que acontecer de duas a três vezes ao dia, dependendo da intensidade do fluxo menstrual.

Além de ser assim simples de usar, o coletor é muito mais eficaz contra vazamentos – é só aprender as dobras que facilitam na hora da colocação (nem todas as mulheres se adaptam ao mesmo tipo de dobra). Na hora de comprar, é importante conferir as dicas para escolher o tamanho certo, que varia conforme o fabricante.

Para fazer a limpeza diária, você precisa lavar a mão antes (para não contaminar o seu copinho). No começo e no final do ciclo, a lavagem é mais pesada: você precisa fervê-lo por cerca de 5 minutos para esterilizar.

Particularmente, o coletor é a minha opção preferida entre as opções reutilizáveis de absorventes porque realmente esqueço que estou menstruada quando uso. Usar o coletor também me fez ter uma relação mais saudável com meu corpo e minha menstruação, e eu acho muito incrível poder dar uma checada todo mês no meu sangue para ver se ele segue saudável, sem cheiro e sem nada de estranho. Qualquer anormalidade eu vou ver na hora e posso ir a um médico. Autoconhecimento é fundamental para nós, mulheres.

QUANTO VOCÊ ECONOMIZA

O coletor custa em média 80 reais, uma quantia que você gastaria com os descartáveis em seis ou oito meses, com a diferença de que o coletor pode durar uma década se bem-cuidado. As calcinhas têm o mesmo preço médio e também duram anos.

Um kit de três absorventes de pano custa, em média, 75 reais, que também equivale a cerca de seis meses de gastos com os descartáveis. A diferença é que você vai usá-los praticamente para sempre.

DESCARTE DE REMÉDIOS

Por mais que eu viva a minha vida de uma maneira natural, às vezes, não dá para fugir de remédios alopáticos. Tudo bem, é questão de saúde, assim como camisinha, métodos contraceptivos e descartáveis em procedimentos médicos. São lixos verdadeiramente necessários.

Um dos problemas quando a gente compra comprimidos é que normalmente sobram alguns (você precisava de cinco e só tinha caixinha com dez unidades). Talvez você use novamente esse remédio antes que os comprimidos restantes passem da validade, mas, na minha experiência, isso não acontece e eles acabam indo para o lixo.

Na hora de descartar esse material, você precisa lembrar que jogar no lixo comum é errado porque pode contaminar águas e ajudar a criar micro-organismos resistentes como superbactérias. De acordo com a nossa lei sobre esse assunto, a **PNRS 2010,**[16] os lugares que comercializam precisam receber e dar um destino correto para materiais especiais contaminantes.

Por isso, todas as farmácias precisam ter ponto de coleta de remédios. Se ainda não tem onde você mora, ligue na prefeitura da sua cidade e veja como pode denunciar ou cobrar para que esses lugares **cumpram a lei.**

No capítulo Saindo de Casa (página 219) tem modelos de abaixo-assinado para você se juntar a outras pessoas e cobrar isso na sua cidade, além de instruções para você fazer a diferença na sua comunidade. É muito importante que a gente se una para cobrar o poder público. Não adianta só esperar que eles façam acontecer: juntos a gente faz a diferença de verdade.

Também é essencial que o município tenha um programa de coleta de lixo contaminante para que esse material seja coletado e encaminhado para um destino correto – normalmente os materiais contaminantes e perigosos são incinerados.

CAPÍTULO 3

ÁREA DE SERVIÇO

CASA LIMPA E ARRUMADA

Todo mundo precisa limpar a casa. O problema é que temos sido convencidos de que precisamos de um produto químico (muito forte, de preferência) para cada parte dela: um para o fogão, um para o chão, um para os rejuntes da parede, outro para os móveis, mais um para o vaso sanitário...

A boa notícia é que isso não é verdade. A seguir, eu ensino como é possível deixar a casa limpinha usando poucos produtos (naturais!).

TRÊS INGREDIENTES PARA UMA CASA LIMPA

Outro problema desses inúmeros produtos é a **química com a qual eles são feitos**. A maioria tem na composição detergentes sintéticos, derivados de petróleo, não biodegradáveis e que geram problemas quando vão do ralo até rios e mares (é fácil se lembrar daquelas imagens assustadoras do rio Tietê cheio de espuma). Sem contar que esses produtos são bastante tóxicos para nós. Não é à toa que eles têm avisos imensos de "mantenha fora do alcance de crianças e animais", "em caso de ingestão, procure um pronto-socorro" etc.

Eu não sei exatamente quais são as substâncias presentes nos produtos de limpeza. Nem você vai saber, porque, se quiser ler a composição para descobrir, vai se deparar com palavras que não explicam nada: alvejantes, alcalinizantes, sequestrantes, branqueador óptico... O que de fato tem ali dentro? Só quem fabrica sabe. E isso é porque o Brasil não tem uma legislação que obrigue os fabricantes a dizerem de fato os componentes dos produtos de limpeza.

Mas, no fim, acabamos nos rendendo a essas substâncias misteriosas porque somos convencidos de que *precisamos* matar 99% das bactérias. Se você chegou aqui, já sabe que eu vou refutar toda essa lenga-lenga da indústria e falar: "A partir de hoje, você está livre, esta é a sua carta de alforria da indústria da limpeza também".

Nossa casa não é um hospital e não precisa ser limpa como se fosse um. Essa neura para matar todas as bactérias do ambiente não só não faz sentido como pode até fazer mal. A Food And Drug Administration (FDA), órgão dos Estados Unidos responsável pelo controle e pela regulamentação de substâncias em produtos como alimentos e cosméticos, proibiu, em 2016, sabonetes e outros produtos bactericidas porque não há comprovação de que eles, de fato, são melhores que só sabão e água.

Além disso, eles se mostraram piores no longo prazo porque um dos principais ingredientes, o **triclosan** – sobre o qual já falamos na lista dos quinze, na página 86 –, afeta a regulação hormonal, causa danos ao fígado e aos rins e é suspeito de ser cancerígeno. Usar sabonetes com agentes bactericidas, além de uma quantidade exagerada de produtos de limpeza em casa, também pode ajudar a criar superbactérias resistentes – as bactérias mais fracas são eliminadas, porém as mais fortes, que sobrevivem, vão criando resistência. Produtos bactericidas e produtos de limpeza com muitas substâncias químicas também afetam

nossa saúde tanto por diminuírem o nosso contato com bactérias – esse contato é o que nos deixa criar anticorpos e resistência natural – como por serem nocivos para o meio ambiente, pois contaminam a água com o antibactericida depois que são escoados pelo ralo. Também são nocivos pela composição, que causa alergias respiratórias e de pele, e pelo lixo gerado por suas embalagens. São muitos os problemas que podemos resolver passando a usar apenas três produtos para limpar a casa: **sabão de coco em barra, bicarbonato de sódio e vinagre de álcool.**

Neste capítulo, você vai encontrar receitas para fazer seus próprios produtos a partir desses três ingredientes e, assim, conquistar mais autonomia, economizar dinheiro todo mês e gerar muito menos lixo e impacto ao meio ambiente.

SABÃO DE COCO EM BARRA

Quando eu comecei o projeto de viver uma vida lixo zero, tinha várias referências internacionais (a Lauren Singer, do *Trash is for*

Fazer sabão em casa é relativamente fácil, mas pode ser bastante perigoso, principalmente os xampus e os sabões para usar diretamente na pele, porque, se derem errado e tiverem sobra de soda, por exemplo, podem machucar e causar irritações. Os sabões para limpeza são mais tranquilos porque usamos só nas roupas. De qualquer forma, eu sempre recomendo a quem quer fazer que procure um curso com alguém experiente na área e aprenda com segurança.

Segundo dados do Ministério do Meio Ambiente, cada litro de óleo descartado incorretamente pode poluir até 25.000 litros de água.

tossers, e a Bea Johnson, do *Zero Waste Home*, foram as maiores) e, por isso, percebi que, fora do Brasil, um sabão natural é muito famoso: o **sabão de castela**. Ele é um sabão milenar feito com azeite de oliva, superpoderoso, mas, ao mesmo tempo, suave e neutro. E pode ser usado tanto para o banho como para a limpeza da casa. Mas eu nunca tinha ouvido falar nisso aqui no Brasil e sabia que, mesmo que encontrasse, ele seria muito caro. Foi aí que eu me lembrei do sabão de coco, que é um sabão superbrasileiro (já que aqui a gente tem muitos coqueiros, enquanto na Europa há muitas oliveiras).

O sabão de coco em barra é incrível porque limpa muito bem, o cheirinho é suave e ele é neutro. Se você quiser se aventurar pelo mundo da **saboaria,** pode fazer seus próprios sabões, o que vai ser o máximo! Senão, na hora de comprar, você precisa prestar atenção à lista de ingredientes. Adivinha: a maioria dos "sabões de coco" não são feitos de coco.

O QUE PRECISA TER:

Óleo de coco (ou babaçu, ou palmiste, ou óleo saponificado de coco) e mais um ou dois ingredientes que você reconheça.

O QUE NÃO PODE TER:

Sebo ou gordura animal (sim, a maioria dos sabões é feita com gordura animal), uma lista extensa de ingredientes com nomes que você não entende e fragrância artificial de coco.

Além do sabão de coco, você pode fazer ou achar em feiras perto de você quem faça sabão com óleo de cozinha reutilizado. Muito comum aqui no Brasil, ele é ecológico porque reaproveita essa gordura que, se não é descartada corretamente, polui um grande **volume de água,** além de contaminar o sistema de esgoto e provocar outros estragos ambientais,

ÁREA DE SERVIÇO

como a impermeabilização do solo. E essa versão é mais fácil de achar sem embalagem e superbarata de comprar (ou fazer, caso você invista em um curso), já que reutiliza o óleo que você pode pedir em restaurantes ou para vizinhos, ajudando-os a serem mais ecológicos também.

BICARBONATO DE SÓDIO

O bicarbonato é um sal com pH básico multiuso para limpeza. Por ser básico, ele reage com o vinagre, e é por isso que essa dupla é tão citada em receitas e dicas de limpeza natural. Você provavelmente se lembra daquela experiência do vulcão no colégio: eram esses dois que faziam a lava transbordar.

Essa reação é ótima para limpar áreas mais difíceis, como o box do banheiro, e também ajuda a desentupir pias, liberando o gás de dentro do cano.

O bicarbonato também absorve odores. A maioria deles (principalmente os ruins) são ácidos e, assim, também reagem com o bicarbonato, o que ajuda a neutralizá-los. Por isso, muita gente recomenda deixar um potinho com bicarbonato na geladeira. E eu também. Só não se esqueça de mexer de vez em quando para o bicarbonato não perder sua eficácia.

Outra característica é que ele é abrasivo. E isso é ótimo para tirar manchas e limpar coisas grudadas em superfícies, como as do fogão. Polvilhe bicarbonato ou faça uma pastinha misturando esse ingrediente e um pouco de água, como preferir. Depois passe vinagre: vai ficar limpíssimo!

VINAGRE DE ÁLCOOL

O vinagre é um ótimo limpador natural. Ele previne e combate o mofo e outros tipos de fungos, e serve também para limpar superfícies como vidros, chão, espelhos, mesas. O mais fácil de achar é o vinagre de álcool, mas também tem vinagre de maçã, de vinho, de arroz. O mais recomendado para limpeza é o de **álcool**, pela quantidade de ácido acético, considerada maior que nos outros tipos.

O vinagre de álcool também é conhecido com vinagre branco em muitos lugares do Brasil.

Apesar de chamarmos os produtos feitos de vinagre de desinfetantes, ele não é capaz de matar todas as bactérias. A velha fórmula sabão + água é mais eficaz nisso para limpar, por exemplo, a bancada onde cozinhamos, que precisa estar sempre limpa. Você também pode usar o álcool 70 (que é uma solução de 70% de álcool e 30% de água) ou água oxigenada 10 volumes (que é uma solução de 3% de peróxido de oxigênio), ambas capazes de matar qualquer tipo de **bactéria** e que são soluções menos agressivas para nós e para o meio ambiente.

Vinagre é ótimo para limpar piso frio e parede de azulejo ou porcelanato, eliminar cheiro de xixi de cachorros ou gatos e limpar vidros e espelhos. Combinado com nosso próximo superaliado na limpeza, o bicarbonato de sódio, é maravilhoso para tirar manchas de superfícies, principalmente da cozinha. Mas atenção: não use vinagre em superfícies como granito, mármore e outras pedras naturais. Por ser ácido, ele pode manchar e corroer esses materiais.

O vinagre é incrível, mas ele ainda vem em uma embalagem plástica. Por isso eu descobri uma receita para você fazer vinagre em casa e, assim, não gerar nem o lixo reciclável, além de fazer vinagre aproveitando seu lixo, veja você.

Essas soluções são esterilizantes de verdade, diferentemente dos sabonetes bactericidas, que só matam as bactérias mais fracas e selecionam as mais fortes.

VINAGRE DE MAÇÃ CASEIRO

Vinagre é ótimo para limpar a casa e o mais usado é normalmente o de álcool, ou branco. Mas ele ainda vem embalado e, para evitar esse lixo, descobri uma receita de vinagre de frutas para fazer em casa no blog *Zero Waste Chef*, da Anne Marie (uma mulher incrível que você precisa seguir). O processo é bem simples e você pode usar cascas de qualquer fruta (já fiz de abacaxi e de maçã).

INGREDIENTES

Casca e miolo de cerca de 6 maçãs (aproveite para fazer uma torta ou geleia com as frutas, como a da página 42)
1 colher (sopa) de açúcar
Cerca de 2 litros de água filtrada (sem cloro)

UTENSÍLIOS

Pote ou jarra de vidro para fermentar
Pano ou pedaço de tecido elástico

1 Coloque todos os ingredientes no recipiente e deixe descansar. O pote não pode ficar fechado (diferentemente dos outros fermentados, que não podem entrar em contato com o ar). Para evitar bichos, coloque um pano de prato preso com um elástico na boca do pote. 2 Durante os próximos dias, mexa a mistura pelo menos uma

vez ao dia (quanto mais, melhor, porque vai ajudar a aerar a fermentação e prevenir a criação de mofo). **3** Aos poucos, depois de mais ou menos uma semana (não tem receita exata, você tem que dar uma olhadinha todo dia), a mistura vai começar a criar bolhas e, aí, dá para mexer só uma vez ao dia. **4** O vinagre vai estar pronto quando as bolhas começarem a sumir. Esse processo vai durar mais ou menos quinze dias, variando de acordo com a temperatura do local onde você mora: se for mais quente (média de 30 ºC), vai ser mais rápido. **5** Coe a mistura e voilà! Seu vinagre está pronto. :) Coloque o **resíduo** na composteira e guarde o vinagre em garrafas fechadas de vidro. Não precisa se preocupar com a validade, ele vai durar muitos meses, e, com o tempo, vai ficando ainda mais ácido. Para prevenir que as garrafas explodam com os gases da fermentação (não se assuste!), abra-as pelo menos uma vez ao mês.

Mas antes dilua o composto do vinagre em um pouco de água para que fique menos ácido e não incomode nem machuque as minhocas da sua composteira.

VARIAÇÕES

Se você só tiver água não filtrada da torneira, que tem cloro, antes de começar, coloque a água em um recipiente aberto e deixe um dia assim – é melhor se pegar sol. O cloro, que pode naturalmente matar as bactérias que fazem a fermentação, vai se dissipar.

Você pode usar outras frutas para fazer o vinagre: cascas de abacaxi, de manga, de jabuticaba. Use uma quantidade equivalente aos restos de 6 maçãs, mais ou menos. Lembre-se de escolher frutas que tenham açúcar na casca. Cascas de limão e laranja provavelmente não vão funcionar, por exemplo.

Se você não conseguir juntar as cascas de uma só vez, pode guardar em um pote no congelador até atingir a quantidade mínima.

UMA VIDA SEM LIXO

157

FAXINA NATURAL

Já deu para perceber que com a trinca sabão de coco, bicarbonato de sódio e vinagre de álcool dá para limpar a casa inteira. A seguir, dou dicas específicas para faxinar cada canto do seu lar.

LIMPANDO A COZINHA

Para lavar a louça, use uma bucha vegetal ou uma escova com cerdas vegetais (que é um pouco difícil de encontrar aqui no Brasil, mas existe!) em vez das esponjas convencionais, que não são recicláveis. Falarei mais sobre a bucha e a escova vegetal na página 170.

No lugar dos detergentes, escolha um sabão de coco em barra de uma marca que seja confiável. Não se esqueça das dicas para comprar um bom sabão de coco (página 152).

Para limpar o fogão, polvilhe bicarbonato de sódio e, depois, borrife vinagre. Eles vão reagir e ajudar a tirar as sujeiras grudadas. Se estiver muito sujo, você pode fazer uma pastinha com bicarbonato e água e esfregar bem as sujeiras antes de borrifar o vinagre. Espere cerca de cinco minutos e limpe com um pano úmido. Se precisar, esfregue um pouco com uma bucha vegetal.

Para desentupir a pia, coloque duas colheres de sopa de bicarbonato de sódio no ralo. Depois jogue cerca de 150 ml de vinagre e, em seguida, 500 ml de água quente.

LAVANDO A ROUPA

Você pode fazer seu próprio sabão em pó para roupas. Tem uma receita incrível na página 160.

No lugar do amaciante, use a mesma medida de **vinagre de**

álcool. Não se preocupe, ele não deixa cheiro nas roupas. Se quiser deixar sua roupa com um perfume especial, você pode colocar gotas do seu óleo essencial favorito junto com o vinagre (o de lavanda é ótimo). Ou você pode fazer o vinagre aromatizado da página 166.

LIMPANDO SUPERFÍCIES

Para desinfetar coisas em geral, use vinagre de álcool. Se você não gosta do cheiro, aqui pode entrar mais uma vez a receita da página 166 de vinagre aromatizado com cascas de frutas cítricas, lavanda, alecrim ou outra erva cheirosa.

Para limpar o chão, use vinagre diluído em água. Também dá para colocar umas 5 gotas de óleo essencial para dar um cheirinho. Uso o de capim--limão, mas recomendo o de alecrim e o de lavanda também.

Para limpar vidros e espelhos, dilua 50 ml do detergente líquido da página 162 em 200 ml de água e coloque em um potinho com válvula spray. Use como um produto "normal": borrife algumas vezes no vidro e limpe com um pano limpo e seco.

LIMPANDO O BANHEIRO

Para limpar o vaso sanitário, jogue bicarbonato nele, de modo que o produto fique "grudado" nas paredes. Depois, jogue vinagre para eles reagirem. Termine a limpeza com a ajuda de uma escovinha.

Para limpar as paredes de dentro do box, onde geralmente ficam muitas coisas grudadas, borrife várias vezes o vinagre por todas as paredes. Depois, coloque bicarbonato de sódio numa bucha vegetal ou escova e esfregue bem. A sujeira vai se soltar mais facilmente com a reação.

Para limpar a pia e a bancada, use o limpador spray multiuso da página 168. Borrife o produto pela superfície e limpe com um pano limpo e levemente úmido.

FAZENDO SEUS PRÓPRIOS PRODUTOS DE LIMPEZA

SABÃO EM PÓ PARA ROUPAS

Esta receita é muito fácil de fazer e bem barata. É segura para lavar as roupas de pessoas que normalmente têm alergias ao sabão em pó comum, incluindo roupas de bebês e crianças. São só dois ingredientes (três se você quiser dar um cheirinho especial). Eu prefiro a receita do detergente líquido (página 158) para lavar roupa, mas este pó funciona bem para quem tem máquina de lavar com água quente, que derrete bem a mistura.

INGREDIENTES

1 barra de sabão de coco (cerca de 200 g)

200 g de bicarbonato de sódio

200 g de carbonato de sódio, ou barrilha

Óleos essenciais para aromatizar (cerca de 5 ml)

UTENSÍLIOS

Processador de alimentos

1 Rale a barra de sabão de coco e, depois, bata no processador de alimentos com o bicarbonato de sódio e o carbonato de sódio. (Não tem problema nenhum bater no processador porque, como é o mesmo sabão que eu uso para lavar louça, depois é só passar água.) 2 Caso queira, coloque óleos essenciais para aromatizar. 3 Guarde em um pote de vidro em local seco e arejado. A quantidade dessa receita dura cerca de um mês para um adulto e pode ser usada por mais de seis meses.

DICAS

- O carbonato de sódio, ou barrilha, pode ser encontrado em lojas especializadas em piscina. Você também pode fabricá-lo em casa colocando bicarbonato de sódio em uma assadeira grande no forno por 45 minutos em temperatura média. Mexendo de vez em quando, ele vira carbonato porque vai perdendo a molécula de água.
- Para lavar uma máquina de 8 quilos cheia, use de 6 a 4 colheres (sopa), dependendo do nível de sujeira da roupa (roupas de cama, por exemplo, não costumam estar muito sujas). Se a máquina estiver com metade da capacidade, 4 a 2 colheres (sopa) são suficientes.

DETERGENTE LÍQUIDO PARA LAVAR ROUPAS

Esta receita é muito mais barata que um sabão líquido convencional, além de produzir menos lixo e menos químicos nocivos. E dá para usar para lavar louça, banheiro, enfim, tudo o que você quiser além de roupas, viu?

INGREDIENTES

3 litros de água

1 barra de sabão de coco ou sabão feito com óleo reutilizado (cerca de 200 g)

50 ml de álcool (70% ou 90%)

3 colheres (sopa) de bicarbonato de sódio

5 ml a 10 ml de óleo essencial da sua escolha (opcional, mas dá um cheirinho bom!)

UTENSÍLIOS

Panela grande (com capacidade maior que 3 litros de água)

Ralador

Colher ou espátula para misturar

1 Coloque a água para ferver. Enquanto isso, rale o sabão. 2 Quando a água estiver fervendo, coloque o sabão e mexa devagarzinho até dissolver tudo. 3 Desligue o fogo e coloque o álcool e o bicarbonato de sódio aos poucos. A mistura costuma reagir um pouco e borbulhar. 4 Mexa um pouco e você vai ver que a mistura ficou quase transparente. Deixe descansando até ficar morno. 5 Se quiser colocar óleo essencial para dar cheirinho, a hora é agora. É importante que a mistura esteja morna, senão o óleo essencial vai evaporar todo. Guarde tudo em potes de vidro bem vedados.

VARIAÇÕES

Você pode usar óleo essencial de limão ou fazer misturinhas para aromatizar. Eu já fiz de: lavanda + capim-limão + melaleuca. E também de hortelã (menta) + citronela + melaleuca, que fica com um cheiro bem gostoso, mais fresquinho.

COMO USAR

Rende 3 litros. Em uma máquina de 8 kg, use 100 ml para um ciclo de roupas pouco sujas (roupa de cama, por exemplo). Para roupas mais sujas, use 150 ml.

DICAS E INFORMAÇÕES

O detergente fica líquido mesmo, não viscoso. Não deu nada de errado na receita se ele ficou parecendo água em vez daquele detergente que a gente está acostumado. Só não foram adicionados ingredientes para deixar viscoso, mas funciona do mesmo jeito.

Se, depois de esfriar, seu detergente endureceu e ficou gelatinoso, tudo bem também. Isso é comum de acontecer quando usamos sabão de óleo reutilizado, e pode ser porque o sabão tinha uma sobra de soda na composição, que reagiu com a água. Se você quiser usar dessa forma não tem problema. Se quiser que ele fique mais líquido é só ir misturando água morna até atingir a consistência desejada.

DESODORANTE DE ROUPAS

Limpar a casa mais naturalmente também significa limpar menos. No caso das roupas, se pudermos evitar algumas lavagens, quando as roupas só foram usadas uma vez e estão limpas, por exemplo, economizamos água e damos vida extra aos tecidos. Eu já tinha feito esta receita para testar como um desinfetante, mas quando vi no blog *Oficina de estilo* que podia ser usada para roupas, testei e deu muito certo.

INGREDIENTES

100 ml de água filtrada
200 ml de vinagre de álcool
200 ml de álcool 70%

UTENSÍLIOS

Frasco com válvula spray

---

1 Misture tudo em um frasco com borrifador spray. 2 Se quiser, pode adicionar algumas gotas de óleo essencial para dar um cheirinho gostoso.

COMO USAR

Pendure a roupa em um cabide e dê algumas pulverizadas do desodorante nela. Deixe em um lugar arejado para respirar.

Você também pode usar essa mistura para melhorar o cheiro de travesseiros, roupa de cama, toalhas e até sofás e cadeiras estofadas no intervalo da lavagem.

DESENGORDURANTE DE CASCAS DE LIMÃO

Esta receita, da **Neide Rigo**, é muito especial porque é completamente lixo zero, natural e eficaz. Você só precisa de casca de laranja e água e tem um desengordurante incrível! Assim aproveitamos os óleos presentes nas cascas da laranja – e funciona se você fizer com casca de limão também. É para mostrar que a natureza já cria tudo sem laboratório.

INGREDIENTES

Casca de uma laranja (de preferência sem aquela parte branca da fruta)

1½ xícara de água ou o suficiente para cobrir

UTENSÍLIOS

Liquidificador

Pano ou voal para coar

1 Bata tudo no liquidificador até virar quase um suco. Os óleos da casca vão se soltar nessa mistura. 2 Coe com o pano e armazene o líquido na geladeira por até três dias. 3 O resíduo pode ir para a composteira, mas, como é cítrico, misture com outros restos de frutas e verduras. Tem mais dicas do que pode e não pode ir na composteira no capítulo Cozinha, página 54.

COMO USAR

Use o líquido para limpar bancadas, armários, pia, fogão e outros móveis da cozinha que costumam ficar engordurados. Também funciona como desinfetante para limpar o chão – fica um cheirinho cítrico muito bom. E, se você quiser, pode até lavar louça com essa mistura. Não faz espuma, mas é só ir molhando a bucha enquanto lava.

VINAGRE AROMATIZADO COMO AMACIANTE OU DESINFETANTE

INGREDIENTES

500 ml de vinagre de álcool ou de frutas (veja receita na página 155)

Cerca de 1 xícara de casca de frutas cítricas ou ervas de algum chá como lavanda, alecrim, capim-limão ou outro que você queira usar para aromatizar

UTENSÍLIOS

Pote de vidro com tampa

---

1 Coloque todos os ingredientes no pote e mantenha fechado com tampa. O vinagre precisa cobrir as cascas ou ervas para que elas não mofem. **2** Deixe descansar por cerca de dez dias, mexendo uma vez todo dia. **3** Coe a mistura e guarde só o líquido. **4** As cascas e as ervas podem ir para a composteira, mas as minhocas vão ficar mais felizes se você passar uma água para tirar o ácido do vinagre antes.

COMO USAR

Dilua um pouco na água e use como um desinfetante normal para passar pano na casa.

Coloque na máquina de lavar roupa como amaciante. Se o vinagre ficar colorido, faça um teste antes para verificar se não mancha sua roupa usando uma toalha velha ou um pano de chão: coloque um pouco do vinagre e deixe secar por um dia antes de lavar de novo. Se manchar, não recomendo usar no enxágue da roupa, principalmente das brancas.

Use puro para desinfetar superfícies como pia da cozinha, armários, pia do banheiro, vaso sanitário etc. Basta aplicar com um spray.

UMA VIDA SEM LIXO

LIMPADOR SPRAY MULTIUSO

Este limpador é muito versátil: eu uso em todas as partes possíveis da casa. Experimentei nas janelas e funcionou superbem. Também deu certo no fogão sujo, nos armários, em outras superfícies e inclusive para limpar o chão em uma área pequena quando acontece um imprevisto.

INGREDIENTES

50 ml do detergente líquido da
  página 162
200 ml de água filtrada
Óleo essencial de sua
  preferência (opcional)

UTENSÍLIOS

Pote com válvula spray

1 Misture tudo no potinho spray e pronto!

VARIAÇÕES

Você pode usar óleo essencial de limão ou fazer misturinhas para aromatizar. Eu já fiz de: lavanda + capim-limão + melaleuca. E também de hortelã (menta) + citronela + melaleuca, que fica com um cheiro bem gostoso, mais fresquinho.

O QUE VOCÊ PRECISA PARA LIMPAR A CASA

Vassoura, aspirador de pó, esfregão, paninhos, balde, escovinhas: basicamente tudo o que você já tem, não precisa jogar nada fora. Se precisar comprar algo novo, vale procurar opções com cerdas naturais que podem ser colocadas na composteira quando estragarem. Se o seu aspirador de pó funcionar com filtros descartáveis, veja se tem como adaptar com um filtro reutilizável, de pano. Talvez você ache para comprar, mas também dá para mandar fazer pedindo para reproduzir exatamente o saquinho descartável. Não esqueça que o tecido precisa ser respirável, assim como o papel.

PANOS PARA LIMPEZA

Para os panos de limpeza, reutilize roupas que estragaram e não podem ser doadas. Lençóis e toalhas, por exemplo, são ótimos para isso. Só cuide para fazer um acabamento para que o tecido não desfie todo quando for lavado. Pode ser uma costura bem simples à mão ou um acabamento melhor feito na máquina de costura. Se você não tiver, peça para uma costureira do seu bairro fazer (todos os bairros têm!).

BUCHA VEGETAL NO LUGAR DA ESPONJA PLÁSTICA

Você provavelmente conhece a bucha vegetal, mas só usou até hoje para tomar banho. Pois agora ela vai ser sua esponja de lavar louça também! É só usar do mesmo jeito que a esponja plástica. Bucha vegetal não risca panelas, pode ficar tranquilo!

Você vai estranhar um pouco até se adaptar porque a bucha não é tão densa, então, não pode ser molhada com tanta frequência. Além disso, o sabão de coco também enxágua mais fácil, não fica para sempre saindo espuma da esponja como o combo detergente + esponja plástica.

Você consegue comprar sem embalagem em feiras livres, floriculturas e lojas de produtos naturais. Tem umas muito grandes, de até um metro! Isso dá mais ou menos um ano de esponja em casa. É também muito mais barato, fora que você pode ter a mesma sorte que eu e conhecer alguém que tem uma plantinha de bucha em casa e ganhá-las de presente.

Para manter limpinha sem risco de contaminação (que é menor que das esponjas plásticas) o mesmo cuidado vale: deixar de molho na água fervente de vez em quando (com um pouco de vinagre); e sempre depois de usar, lavar com sabão e deixar secando. Dura uns dois meses até ela ficar molinha demais, aí é só colocar na composteira e, como ela é uma planta, se decompõe naturalmente.

ESCOVAS COM CERDAS VEGETAIS

Essas escovas são mais difíceis de achar no Brasil, mas existem. Procure principalmente em lojas de produtos orientais e feiras livres. As cerdas delas costumam ser de piaçava, que é uma palmeira. Na textura, parecem feitas de plástico, é bem durinha! Amo para limpar panelas quando sujeiras mais resistentes ficam grudadas. Mantenha os mesmos cuidados de limpeza da bucha e deixe-a sempre limpa e seca para as cerdas não apodrecerem.

JORNAL PARA DESCARTAR O LIXO DA LIMPEZA DE CASA

Use jornal e faça uma espécie de dobradura no formato de um saquinho para colocar o lixo com a sujeira da sua casa: cabelos, pelo de animais, pó etc. Esse lixo é o chamado **rejeito:** não tem o que fazer com ele. É melhor descartar para o caminhão de lixo com jornal, um saquinho feito de papel reutilizado ou um bioplástico feito de materiais naturais do que saquinhos plásticos, porque podem ser reciclados em vez de passar a eternidade se decompondo nos aterros como última opção.

Apesar de serem, na sua maioria, coisas naturais, não dá para jogar essa sujeira em uma composteira de apartamento. Cabelos, pelos e outras coisas do tipo demoram muito para se degradarem naturalmente. Se você tiver um quintal, pode enterrar esse lixo junto com sua compostagem. É menos impactante para o mundo.

UMA VIDA SEM LIXO

ÁREA DE SERVIÇO

ANIMAIS SUSTENTÁVEIS

Quando eu decidi viver sem produzir lixo, já morava com minha gata, a Nina. Ao longo do tempo, adotei também a cachorra Filó. Ter bicho em casa é muito bom, todo mundo que tem sabe. Eu costumo dizer que adotar a Nina e a Filó foram as duas escolhas mais certas da minha vida. No começo, achei que não teria jeito e produziria muito lixo com elas, mas descobri várias alternativas melhores tanto para lidar com o lixo como para cuidar da saúde delas. Ou seja, foram soluções melhores para todo mundo!

ALIMENTAÇÃO

A dieta original de cães e gatos é uma **dieta de animais carnívoros.** Sim, eles são carnívoros. Eles comeriam na natureza pequenos animais como aves e alguns mamíferos. Mas, por causa da domesticação e por eles morarem com a gente em casas ou apartamentos em centros urbanos, não têm como manter a dieta original da sua espécie. É por isso que damos as rações industrializadas: pela praticidade para nós.

Mas essas rações não são o alimento ideal para os nossos bichinhos, principalmente porque não são comida de verdade. É como se eu dissesse que a melhor comida que você pode comer é um alimento industrializado que vem em caixas. Eu inclusive refutei esse argumento lá no capítulo Cozinha, então, vamos ser coerentes quando se trata de nossos animais também.

Resumidamente, a **ração seca** é ruim porque é um alimento industrializado, e também porque tem adição de compostos que podem ser nocivos, como conservantes, corantes, flavorizantes e outros aditivos. A maior parte das rações, mesmo as melhores, tem matéria-prima de qualidade bastante questionável como glúten de milho, óleo de soja refinado e subproduto de farinha de vísceras, em vez de carne fresca.

Além disso, as rações que usam soja e milho podem **ser contaminadas por microtoxinas** porque esses grãos ficam armazenados em silos por longos períodos. Essas toxinas não são destruídas pelo cozimento da ração e, além de serem cancerígenas, afetam os sistemas hepático, neurológico e imunológico do animal.

A melhor opção, no longo prazo, é a **Alimentação Natural (AN)**. A AN simula a dieta original dos cães e gatos na natureza, priorizando as carnes e vísceras e incluindo alguns vegetais. Existe a **AN Crua com Ossos**, na qual os alimentos são oferecidos crus com a presença de ossos, a mais próxima da dieta original. Existe a **AN Crua sem Ossos** para animais que não têm mais dentes para mastigar pequenos ossos, por exemplo. E tem a **AN Cozida sem Ossos**, que é bem aceita.

Muitos animais que recusam a opção crua gostam muito dessa última (principalmente os gatos).

A AN é uma alternativa à ração, mas ela tem que ser balanceada, contendo tudo o que o animal precisa. Por isso, a dieta inclui um pouco de cada grupo de alimentos e numa proporção correta. Também tem suplementação com ácidos graxos, vitaminas e minerais, para a dieta ficar bem certinha. É uma dieta caseira, sim, mas que precisa de cuidado para ser preparada. **Não é apenas dar o resto que sobrou do jantar,** de jeito nenhum. Tem que pesar, tem que armazenar corretamente, tem que fazer exames com um veterinário para acompanhar se o seu bichinho está respondendo à AN.

Se você quiser trocar a alimentação do seu animal de estimação, procure um veterinário. Nem todos conhecem essa dieta e muitos podem dizer que não a recomendam. No Brasil, as médicas veterinárias que mais falam sobre isso são a Sylvia Angélico, do *Cachorro Verde*, e a Carmen Cocca, do *Bicho*

UMA VIDA SEM LIXO

Integral. Você pode conseguir uma consulta on-line com elas.

A AN pode ser feita em casa, mas você precisa seguir com muito cuidado as receitas (no blog *Cachorro verde* tem, leia tudo com calma antes de sair dando pedaços de carne crua para seu cão, combinado?). Algumas empresas já fazem AN personalizada para seu bichinho, talvez você ache na sua cidade.

Se tiver que optar por continuar dando ração seca ao seu animalzinho, escolha as que não possuam transgênicos e, de preferência, sem cereais na composição. Observe também se os conservantes são naturais ou se são opções ruins como BHA e BHT. Pode ser um pouco mais difícil de achar, mas elas são mais saudáveis, os bichinhos absorvem melhor os nutrientes (e por isso rendem muito mais).

BANHO

Gato não precisa tomar banho. Mesmo. Eles se limpam naturalmente, se lambendo o dia todo. Banhos são estressantes e desnecessários, salvo raras exceções (doenças, cirurgias, infestação de pulgas etc.). Evite, seu gatinho sabe se cuidar.

Já os cachorros podem tomar banho, mas não com a frequência que a gente normalmente dá. Cachorros pequenos e que vivem em apartamentos costumam ir ao pet shop uma vez por semana para não ficarem fedidos. Mas, adivinha só, é esse excesso de banho que os faz ficarem fedidos!

A renovação da epiderme dos cães acontece a cada vinte dias, e como a pele deles é mais fina do que a nossa (tem de três a cinco camadas, contra dez a quinze dos seres humanos), dar banho toda semana dificulta a renovação celular, além de tirar a proteção natural. O ideal é dar a menor quantidade de banho possível, a cada três semanas – mas se o cachorro estiver limpinho pode ficar mais tempo sem.

Para que ele não fique cheirando mal – principalmente os que moram em apartamento, como a Filó aqui em casa –, borrife vinagre no pelo (da cabeça para trás) e o incentive a pegar sol todos os dias. Além disso, lave a cama do seu cão com frequência e coloque-a no sol todos os dias. Isso ajuda muito a evitar que o cheiro ruim fique no bichinho.

Se seu cachorro tem pelo longo, penteie todos os dias com duas ou três borrifadas de vinagre no corpinho. Limpe o rostinho com um pano úmido só com água morna e mantenha os pelos bem presos ou bem aparados.

OS XAMPUS E SABONETES PARA CACHORROS

A mesma regra dos cosméticos para gente vale para os nossos bichinhos: evite os petrolatos, sulfatos, silicones e tudo o que estiver na lista dos quinze ingredientes nocivos disponível na página 86. Você pode comprar um sabonete natural (igual ao que você usaria no seu banho) para o seu bichinho. Existem alguns sabonetes especiais para serem usados em cães, feitos com óleos essenciais que ajudam na prevenção de pulgas e outros parasitas. Procure por **óleo essencial de neem** (lê-se *nim*) e **óleo essencial de melaleuca ou tea tree.**

CUIDADOS GERAIS

PULGAS

Combater pulgas e carrapatos de forma natural é possível, mas dá mais trabalho porque requer cuidado extra por parte dos tutores dos bichinhos. Existem no mercado várias opções de produtos como: sabonetes naturais e spray antipulga com óleo essencial de neem, melaleuca e citronela, além de medicamentos homeopáticos antipulgas. Normalmente, os médicos veterinários recomendam usar todos juntos, já que o tempo de eficácia dos produtos naturais é menor do que o dos venenos sintéticos. Então, o que você deve fazer para evitar os venenos é:

Dê banho com um sabonete antipulgas natural, com os óleos essenciais já mencionados.
Todo dia, antes de ir passear, dê várias borrifadas no corpinho do seu cachorro ou gato com o spray antipulgas natural.
Mantenha a água do seu animal com o remédio homeopático.

Troque todo dia ou conforme a recomendação do fabricante.

\# Lave com frequência a caminha e os panos dos seus bichinhos. A maior parte dos parasitas fica no ambiente e não no animal! Aspire bem a casa e adicione um pouco de extrato de neem na água que você for usar para passar pano no chão. Se mantiver assim toda semana, as chances de seu animal ficar com pulgas são bem baixas.

Se mesmo fazendo tudo certinho seu bichinho tiver pulgas ou carrapatos, talvez você precise de um remédio mais forte. Veja com seu veterinário se existe alguma opção natural ou se você vai precisar comprar um remédio alopático convencional. De vez em quando é necessário e tudo bem, é preciso saber o limite do que a gente pode fazer e o que a gente consegue evitar. Afinal de contas, não moramos em uma aldeia no meio da selva, as cidades são sujas e aumentam as chances de ter esse tipo de praga.

> Alho pode ser tóxico para gatos em qualquer quantidade. Ele só é seguro para cães na quantidade indicada de uma lasquinha fina de até 1 centímetro por dia.

VERMES

Para evitar os parasitas, você pode colocar uma folha de hortelã na água do seu cão todos os dias, adicionar sementes de abóbora na comida ou oferecê-las como petisco. Você também pode dar para os cachorros **(para os gatos não!)** uma lasquinha fina de até 1 centímetro de alho por dia.

Olhe sempre as fezes dos seus bichinhos. Se notar a presença de parasitas, procure o veterinário porque provavelmente vai ser necessário o uso de um remédio. As opções naturais são para evitar, mas não dispensam o remédio!

COCÔ E XIXI DENTRO DE CASA

PARA OS CACHORROS

Use um **sanitário canino**, que é tipo uma caixinha de areia para cães. Não precisa colocar nada dentro (como fraldas ou jornais) para absorver o xixi, como as marcas recomendam.

Para limpar, lave o sanitário com água todo dia no tanque da área de serviço. Se tiver muito cheiro de xixi,

UMA VIDA SEM LIXO

passe um pouco de vinagre. Uma vez por semana, lave com sabão e bicarbonato de sódio e enxágue bem.

O cocô é só pegar com uma pazinha igual à de limpar caixinha de areia de gatos e jogar no vaso sanitário. Nenhum lixo nesse processo todo.

PARA OS GATOS

Use uma caixinha de areia com uma areia biodegradável. A que eu recomendo é a feita de madeira, com uma serragem fininha comprimida em rolinhos. Essa areia absorve muito mais que as areias comuns, diminuindo muito o cheiro do xixi dos gatos. Para descartar é só jogar no vaso sanitário. Como ela se transforma em um pó de madeira, o risco de entupimento é quase nulo.

COCÔ E XIXI FORA DE CASA

Use folhas grandes de árvores para pegar o cocô e descartar em canteiros onde: 1) ninguém pisa e nenhuma criança brinca; 2) fica escondido para não dar cheiro e 3) não tem nada comestível por perto. Quem mora em casa pode enterrar no quintal (longe da horta!).

Tentar descartar assim é muito melhor porque o cocô se decompõe rápido e não vai contaminar ninguém. Se não tiver como, de jeito nenhum, porque não tem nenhuma área verde perto da sua casa ou porque algumas cidades multam quem deixa cocô na rua, tente achar: saquinhos biodegradáveis de bioplástico feitos de fibras naturais ou saquinhos de papel para jogar no lixo comum. Jogar com a folha na lixeira não é muito legal porque ele pode contaminar latinhas, garrafinhas PET e outros lixos secos, além de sujar a lixeira na hora do recolhimento.

ACESSÓRIOS: QUANTO MENOS PLÁSTICO, MELHOR

BRINQUEDOS

Cães que ficam dentro de casa precisam de brinquedos principalmente para morder, porque é algo que eles gostam muito de fazer. Em vez de bolinhas, ossinhos e outros brinquedos feitos de plástico, prefira versões com **fibras naturais**: galhos firmes que não esfarelem muito, ossos crus que você pode pedir no açougue perto de casa, bolinhas feitas de tecido (crochê, por exemplo), bichinhos, cordas com nós para os cães que gostam de brincar de cabo de guerra. Aproveite roupas velhas, edredons, toalhas, sapatos que possam virar brinquedos.

GUIAS

Na hora de comprar as guias e coleiras para passear, procure opções feitas 100% de fibras naturais, como algodão. Infelizmente, é muito difícil de achar essas versões hoje em dia. Se você só achou coleiras e guias feitas com material sintético, não tem problema. Escolha uma opção forte que dure muitos anos para não precisar descartar. Se estragar, veja antes se tem como consertar trocando o fecho ou fazendo um remendo, por exemplo.

CAPÍTULO 4
GUARDA-ROUPA
O MAIS SUSTENTÁVEL É O QUE VOCÊ JÁ TEM

Pode ser que não sejamos as pessoas mais ligadas no mundo da moda, mas uma coisa é certa: precisamos de roupas para viver. Nos últimos anos, a oferta de roupas aumentou muito e as formas de produção mudaram radicalmente. Na hora de consumir, precisamos nos perguntar sobre as questões éticas e ambientais envolvidas nessa indústria, que também é uma das mais poluentes do mundo na atualidade. A compra é tão importante quanto a manutenção das roupas e seu descarte, que, no Brasil e na maior parte do mundo, ainda não tem destino adequado.

A INDÚSTRIA DA MODA

Uma das minhas melhores histórias é a minha mãe contando que, desde que eu tinha um ano e meio, eu mesma escolhia que roupa usar. Eu ia pegando as roupinhas na cômoda, colocava em cima da cama e ia combinando o que eu achava mais legal. Depois, quando era mais velha, aprendi a fazer bordado em ponto-cruz e me divertia comprando revistinhas com receita de bordados para copiar. Mas foi só mais tarde que aprendi de verdade a costurar, quando minha tia Zilá me deu algumas aulas.

Minha relação com as roupas sempre foi um pouco mais especial porque minha avó Ninita foi o que na época chamava-se de *modista*. Ela teve uma confecção de roupas em Florianópolis e fazia roupas com tecidos finos, plissados e bordados. Também batalhou para que a cidade fosse um polo da indústria têxtil, o que acabou resultando, de certa forma, no curso de moda da Universidade do Estado de Santa Catarina. Ela também brigou com a prefeitura da época para construir uma creche perto da fábrica, para que as costureiras tivessem onde e com quem deixar seus filhos para poderem trabalhar.

Gosto de lembrar disso para entender como eu cheguei aqui. Minha avó era uma mulher muito à frente do seu tempo em muitos aspectos. Falando com qualquer um que a conheceu posso confirmar isso. E fico me perguntando o que ela acharia da moda hoje, com tantos problemas e histórias de desrespeito às pessoas.

O mundo da moda mudou radicalmente nos últimos anos. Hoje as grandes, médias e pequenas empresas de moda (de *fast fashion* a grifes de renome) terceirizam quase toda a sua produção, mudam de coleção toda semana e cobram preços baixíssimos por cada peça. Esse movimento começou nos anos 1990, e o principal ícone da época foi a Nike, para baratear sua produção, mas hoje em dia a gente fala das confecções do Bom Retiro em São Paulo, de marcas de luxo como Prada e Chanel, de *fast fashion* como Zara, de marcas muito pequenas e que se vendem como "produtoras locais". Não é mais exclusividade de ninguém, principalmente no Brasil. A qualidade das roupas muitas vezes é questionável e o marketing aliado aos preços baixos fazem nosso guarda-roupa ser praticamente descartável.

Os impactos desse novo modelo são assustadores. Todo mundo consegue pensar em toneladas de roupas sendo jogadas em aterros sanitários, muito dinheiro sendo desperdiçado no fundo do armário em roupas que você comprou e nunca vai usar e a eterna sensação de não ter nada para vestir, já que o sistema econômico como um todo nos faz sentir inadequados se não estamos comprando, comprando, comprando.

A indústria da moda também é uma das mais poluentes do mundo atualmente. Ela é responsável por ocupar 3% das áreas férteis do mundo e cerca de 16% dos inseticidas e 7% dos **herbicidas**[1] do mundo são utilizados só nas plantações de algodão, por exemplo. Quando esse algodão é plantado em áreas secas e não chuvosas, ainda precisa ser irrigado, adicionando um custo enorme de água nesse processo. Cerca de 30% da viscose produzida para virar roupa vem de árvores de florestas nativas e ameaçadas de **extinção**.[2] Além dos processos químicos como tratamento e tingimento dos tecidos e dos químicos usados em curtumes.

Isso sem falar nos resíduos gerados tanto na produção quanto no pós--consumo com o descarte de roupas. Na produção, os resíduos são tanto do uso de matérias-primas virgens em vez de recicladas quanto da perda de tecido na confecção, que é de cerca de 20% mesmo usando programas de ajuste inteligente para as modelagens.

Como essas roupas não podem ser recicladas (são poucos os países que têm coleta seletiva para esse tipo de resíduo ou investem em alguma das tecnologias que já existem para fazer esse reaproveitamento), acabam enchendo os aterros sanitários, gerando gases que poluem o ar e desperdiçando matéria-prima.

Já existe tecnologia para transformar roupas em fibras que se transformariam de novo em tecidos e novas roupas. A maior dificuldade atual é como a indústria da moda vai tornar essa tecnologia sustentável financeiramente, já que hoje ainda é muito caro fazer esse processo de *downcycling*. Um dos desafios da indústria da moda atual é justamente pensar em como esse reaproveitamento de tecidos e materiais pode se tornar viável.

E ainda não mencionei as práticas trabalhistas que a maioria das empresas terceirizadas de confecção adota, deixando sua produção em países com regras trabalhistas frouxas ou inexistentes e mão de obra barata para aproveitar e baixar os custos de produção. No Brasil, apesar da nossa legislação trabalhista ser exigente, acontecem muitos casos de trabalhos em condições análogas à escravidão, principalmente em pequenas confecções que utilizam o trabalho de imigrantes, geralmente latino-americanos. É importante lembrar que recentemente foram feitas mudanças nas regras de controle do trabalho escravo que pioram o combate a esse tipo de **prática.**[3] São condições sub-humanas de trabalho, jornadas excessivas de mais de doze horas, pagamentos baixíssimos que não permitem uma ascensão do trabalhador e falta de condições mínimas de segurança e saúde.

A união das vontades do meio privado com a esfera política é sempre a resposta ao porquê de certas coisas continuarem acontecendo.

É por tudo isso que precisamos pensar em uma **moda ética, sustentável e justa** para todo mundo que está na sua cadeia de trabalho, principalmente as pessoas nas pontas mais frágeis, que são da produção e confecção. Uma coisa é fato: todos nós usamos roupas e a maioria das pessoas não quer apoiar essa indústria do jeito como ela funciona hoje em dia.

GLOSSÁRIO DA MODA

Setor têxtil ou tecelagem: setor que fabrica os tecidos a partir de fibras naturais ou sintéticas. As fibras naturais mais comuns são algodão, linho, viscose e liocel.

Confecção: diz respeito ao processo de costurar as roupas em si, cortando os tecidos dentro dos moldes, costurando e finalizando as peças.

Fair trade: significa comércio justo, ou seja, que a empresa não usou mão de obra infantil nem escrava, respeitou práticas sustentáveis e deu condições de trabalho seguras e saudáveis para seus empregadores.

Fibra natural: tecido feito a partir de plantas como algodão ou outras plantas que geram celulose.

Fibra sintética: tecido feito a partir de polímeros, reciclados ou não.

Fast fashion: termo usado para designar a indústria da moda que tem uma produção em grande escala e em massa, constantemente criando coleções e tratando as roupas como descartáveis. Não contabiliza os custos sociais e ambientais nas roupas e é uma marca globalizada, terceirizando sua produção em países com mão de obra mais barata.

Slow fashion: movimento que nega o *fast fashion*. Reconhece os impactos da produção das roupas, preocupa-se com o entorno e resgata o valor das peças como itens feitos para durar. A produção é em pequena e média escala.

A própria indústria pode fazer melhorias na sua produção, como diminuir o uso de água potável e usar água de reuso ou da chuva, além de usar energias limpas nas fábricas para reduzir a emissão de gases. Reduzir a quantidade de pesticidas e inseticidas nas plantações, investir em cultura de algodão orgânico. Criar e melhorar a reciclagem de tecidos para gerar menos resíduos, melhorar os cortes para aproveitar os tecidos e fazer itens mais duráveis, além de tratar os resíduos das fábricas de forma adequada.

Na verdade, muitas das grandes empresas de *fast fashion* já têm investido em pesquisa e desenvolvimento de tecnologias que sejam mais sustentáveis ao mesmo tempo que pensam em como continuar ganhando dinheiro e manter o **negócio viável**.[4] Diferente do que alguns estudos mostram sobre as pequenas e médias empresas, que aparentam mais propensas a serem menos sustentáveis. Parece contraditório, pois estamos muito acostumados a ouvir que são essas as piores indústrias do mercado,

mas a verdade é que essa exposição dos seus problemas fez com que as marcas investissem cada vez mais em tecnologias e melhorias em todos os processos. Está longe de ser ideal, mas melhorou bastante. Enquanto isso, os pequenos se apoiam em palavras vazias para vender produtos "locais, feitos à mão, sustentáveis", mas, de fato, fazem pouco ou nada para reduzir ou melhorar seus impactos.

Bom, mas eu estou aqui falando com você e não com a indústria. Apesar do cenário parecer muito preocupante, eu sou uma pessoa otimista e quero falar neste capítulo sobre **soluções**.

Vamos pensar em por que, como, onde e quando compramos roupas. Não adianta as empresas estarem melhorando os processos de produção se continuamos a consumir como se não houvesse amanhã. Antigamente, existiam basicamente quatro coleções de roupas em cada marca, seguindo as estações do ano: verão, outono, inverno e primavera. Hoje, as marcas fazem cerca de 52 coleções! O que significa uma por semana durante o ano! É por isso que somos bombardeados o tempo todo com novidades e estímulos para comprar. É tanta roupa nova que nem as indústrias dão conta de vender e acontecem absurdos como os que envolveram a rede H&M, que foi acusada de queimar cerca de 12 toneladas de roupa nova por **ano.**[5]

As redes sociais deixaram o problema ainda mais próximo da gente, eu diria. O que antes estava longe, só na televisão e nas revistas, agora está na palma da sua mão o tempo todo: nas fotos lindas da sua amiga, assim como dos famosos, das celebridades do mundo digital, de desconhecidos etc. Dá para comprar direto pelas redes sociais exatamente a peça que a pessoa que você segue está usando.

Com preços mais baixos e muito mais acessíveis que há alguns anos, para classes A, B ou C e sendo bombardeados por fotos de conhecidos e desconhecidos impecáveis, é quase impossível não ter ou seguir desejos consumistas hoje em dia. Mas como podemos pensar em nos vestir bem e, ao mesmo tempo, sermos mais conscientes em nossas escolhas?

USANDO AQUILO QUE VOCÊ TEM

Desde que eu comecei o blog *Um ano sem lixo*, tenho focado na construção de um armário mais sustentável, mas também minimalista. É bem provável que, depois de fazer uma limpa no seu guarda-roupa, deixando só o que você ama, você sinta menos necessidade de comprar algo novo por um bom tempo. Foi o que aconteceu comigo.

Se você renovar seu guarda-roupa deixando ou comprando coisas usando os critérios sobre os quais vamos falar no quadro da página 192, a chance de ter roupas encalhadas é muito menor. Você vai olhar peça por peça e planejar muitos usos para cada uma delas, gerando várias oportunidades.

Mas se não der certo na primeira vez, não desista! É legal olhar o que não funcionou: Foi o estilo das peças? A quantidade delas? A combinação delas entre si? Sobraram peças que você não usou nenhuma vez?

Cuidar do guarda-roupa é um processo constante. De vez em quando, a gente precisa abrir as portas, olhar bem o que está ali dentro e avaliar se está sendo suficiente para a nossa vida. É importante fazer isso pelo menos uma vez ao ano, porque sempre redescubro alguma peça que ficou escondida ou tinha esquecido. A sensação é de ir às compras em casa.

Normalmente não comprar nada é o melhor jeito de consumir consciente. Repense o que você tem de roupas, sapatos e acessórios e como pode usar melhor suas roupas atuais. Desse jeito, você não vai gastar nenhum dinheiro além do que já investiu quando comprou o que está aí dentro do seu armário, além de fazer coisas que estavam paradas finalmente serem usadas. Uma roupa gasta muito recurso natural para ser fabricada, é muito desperdício não usá-la.

Um exercício para redescobrir as roupas que você tem é montar *looks* e prová-los. Parece a coisa mais óbvia, mas só quando a gente de fato coloca a roupa no corpo e se olha no espelho é que faz o cérebro perceber coisas novas. Como quase todo mundo se veste com pressa e correndo para sair de casa, além de provar e se olhar no espelho, tire fotos dos *looks*, assim você vai ter um arsenal de ideias para os dias de pressa. Prove com outro sapato, outra parte de baixo, outro colar, com ou sem casaco, com tênis ou um sapato mais formal. Visualize isso tudo como se estivesse em uma loja.

Para acabar de vez com essa história de repetir as mesmas combinações e não saber o que usar mesmo com um armário cheio de coisas, comece a preparar a roupa para o dia seguinte antes de ir dormir. Assim você coloca a roupa em segundos, mas parece que passou horas pensando na produção.

COMPRANDO MENOS E MELHOR

A principal estratégia para um guarda-roupa sustentável é comprar menos. Simples assim. Será que não tem roupa suficiente no seu guarda-roupa para ficar um ano sem comprar? Muitas vezes não é ter ou não uma quantidade certa de roupas, mas saber como utilizá-las em conjunto, com inteligência e seguindo seu estilo.

Ter um guarda-roupa sustentável é comprar aquilo que você vai usar e usar tudo aquilo que você tiver. É cuidar, é questionar e se preocupar.

Você não precisa comprar uma peça nova todo mês. Eventualmente, você precisa de um vestido novo, um casaco, umas blusas, um tênis. Não todo mês. Não adianta parar de comprar de lojas *fast fashion* e continuar agindo como um consumidor dessas lojas.

PLANEJANDO AS COMPRAS

Antes de ir às compras, avalie o que você tem:

Tire todas as suas roupas do armário e avalie uma por uma. Deixe só aquelas que você realmente ama usar, aquelas que você fica confortável e se sente bem. Pergunte para cada item que você já tem e repita essas perguntas quando quiser colocar algo novo no armário:

EU ME SINTO BEM VESTINDO ESSA PEÇA?

Eu sempre priorizei roupas em que o conforto é o ponto forte. Eu não gosto de nada que seja muito curto, decotado e que eu fique insegura e pensando se não estou mostrando mais do que gostaria a cada movimento que faço.

O conforto também pode ser um dos seus critérios. Mas, lembre-se, é importante olhar no espelho e se sentir bem.

Sentir que aquela roupa fala para o mundo quem você é outro fator a ser levado em conta. Roupa também é muito importante para a autoestima, a gente sabe.

EU CONSIGO USAR ESSA PEÇA EM DIFERENTES SITUAÇÕES?

Um dos critérios que eu passei a adotar na hora de comprar roupas e sapatos é que aquela peça precisa, no mínimo, cumprir a função que promete. Eu sei que parece óbvio, mas, principalmente para as mulheres, não é tanto assim.

Muitos casacos não são quentinhos e servem praticamente só para serem bonitos mesmo. Muitos sapatos não servem para caminhar na rua porque machucam, só funcionam para ficar sentado e parado. Então, para mim, a função precisa ser executada com perfeição. Assim eu consigo aproveitar o mesmo casaco em dias de chuva porque ele é impermeável e nos dias frios do inverno porque ele protege do vento.

Na questão estética, sempre achei importante ter roupas que funcionam em ocasiões mais ou menos formais. Como trabalho em casa, tenho algumas roupas que não são muito incríveis para usar no dia a dia e outras que já são mais incríveis e uso para dar palestras, cursos, ir a reuniões e sair com amigos. Quem trabalha fora pode priorizar roupas com as quais se sinta bem e que, ao mesmo tempo, sejam adequadas ao ambiente de trabalho, já que é onde provavelmente passa a maior parte do tempo. Quem vive no campo, deve priorizar roupas que façam mais sentido para essa situação. Sempre veja qual é sua rotina e quais são suas necessidades e faça suas roupas trabalharem a seu favor.

EU CONSIGO COMBINAR ESSA PEÇA COM OUTRAS TRÊS PEÇAS NO MEU GUARDA-ROUPA?

A Fê Resende e a Cris Zanetti, do *Oficina de estilo*, têm a regra de que cada peça nova no seu guarda-roupa **precisa combinar com outras três que já existem ali**. Elas falam disso no livro **Vista quem você é**.[6] Uma blusa

UMA VIDA SEM LIXO   193

precisa funcionar com uma calça, uma saia e um shorts, por exemplo. Em três estilos bem diferentes. Uma calça precisa funcionar com uma blusa de verão, uma camisa e uma blusa quentinha de inverno.

Elas também têm uma outra dica que passei a usar nas minhas roupas e faz todo sentido: **ter cinco peças de cima para cada uma de baixo**. Se você tem dúvida na hora de escolher o que comprar, essa dica é muito boa. Afinal de contas, o que mais aparece para as pessoas é a parte de cima, porque ela está perto do rosto. Assim, se você usar a mesma calça por três dias com três blusas bem diferentes, pouca gente vai notar – incluindo você. Já se usar a mesma blusa durante três dias seguidos mesmo que com partes de baixo muito diferentes, a sensação de que você está usando a mesma roupa todo dia é muito maior.

É BEM-FEITA, DE QUALIDADE?

Escolher roupas de qualidade é um dos pontos principais para ter um guarda--roupa que dure bastante tempo (anos, não meses!). Mais adiante, explico com mais detalhes sobre como escolher uma roupa de qualidade.

VAI CONTINUAR BONITA EM UM, DOIS, CINCO ANOS?

Escolha roupas que você se veja usando por bastante tempo. Mesmo que nosso estilo mude, o importante na hora de comprar algo novo é tentar ver aquela peça sendo usada por mais do que alguns meses. Entender seu estilo é muito importante para você fazer escolhas melhores em todos os aspectos. O livro que falei há pouco, *Vista quem você é*, é uma dica incrível se você ainda não se encontrou. Também pode ser uma alternativa contratar uma consultoria de estilo para finalmente se entender.

CONSUMA CONSCIENTE

Pensar na origem do produto também é importante. Se a gente conseguir comprar de marcas que produzam roupas de forma ética, sustentável, com tecidos de algodão orgânico ou outras fibras naturais, que sejam lindas e a gente goste é quase como ganhar na loteria.

GUARDA-ROUPA MINIMALISTA E ARMÁRIO CÁPSULA

Minimalista é uma palavra que pipocou muito na internet, principalmente quando o assunto é roupa. Mas minimalista não precisa significar tudo sem estampa. Para mim, minimalismo mesmo é **usar tudo aquilo que você tem e ter tudo aquilo que você usa.** Quem melhor que você para dizer quantos itens sua cozinha ou seu armário precisam ter? O que não pode, na minha concepção, é ter um montão de coisas paradas em casa. Se tudo tem uso porque o contexto da sua vida faz as coisas terem uso, você vive de um jeito minimalista.

O conceito de **armário-cápsula** foi outro que surgiu faz pouco tempo. A ideia é ter um guarda-roupa de cerca de 35 peças incluindo sapatos e acessórios para usar a cada três meses. A cada mudança de estação, você guardaria essas peças em caixas e usaria outras, que estavam guardadas. Não gosto desse conceito porque acho que limitar um armário com um número pode ser ruim, já que não leva em consideração o contexto daquela pessoa. Tem gente que precisa ter mais roupas porque seu trabalho influencia na forma como se veste. Diferente de mim, que trabalho em casa, por exemplo.

Se você mora em um lugar onde as temperaturas mudam muito, até faz sentido guardar algumas roupas. Eu sempre fiz isso porque aqui em Santa Catarina a mudança é de 30 °C para 5 °C. Mas em muitas cidades do Brasil a diferença ao longo do ano é pouca, então deixar roupas boas guardadas é meio incoerente quando todas poderiam estar sendo usadas e com menos frequência. Se a gente alterna mais o uso, as roupas duram mais porque lavamos menos, ó que legal! Também dá para usar o desodorante de roupas (veja a receita na página 164) para diminuir as lavagens entre os usos.

Mas eu sei que, além de ser difícil de achar tais marcas, nem todo mundo tem dinheiro para comprar essas roupas, porque é, sim, muito mais caro. Se é mais justo, paga a cadeia de produção inteira, então, não dá para uma blusinha custar R$19,90 sem estar havendo injustiça em algum(ns) ponto(s) da cadeia produtiva.

Pesquise antes sobre a marca para saber se, de fato, a produção é sustentável. Usar palavras vazias e não deixar claro a origem de sua matéria-prima, qual tecido é utilizado, onde é feita a produção, como é o descarte dos materiais normalmente significa *greenwashing*.

Se você conhece marcas de roupas que sejam muito corretas nos seus processos, mas ainda não consegue pagar o que elas cobram por suas roupas, não se culpe. Faça o que está ao seu alcance, inclusive pressionando marcas para serem mais transparentes e votando em políticos que combatem o trabalho escravo.

Isso pensando no processo natural. Num aterro sanitário, nada se degrada naturalmente. Por isso é importante descartar o que não se quer mais corretamente, como falaremos na página 202.

PREFIRA FIBRAS NATURAIS

Algodão e algodão orgânico, liocel, linho e viscose são tecidos de origem natural, feitos a partir de fibras de plantas. São normalmente mais confortáveis porque são mais respiráveis. Apesar de existirem muitos problemas na produção desses tecidos, eles ainda são melhores que os sintéticos (mesmo os reciclados), pois **se degradam naturalmente.** Já esses últimos são polímeros e liberam microfibras de plástico na água.

Em estudos recentes, 83% das amostras de água encanada testada no mundo todo continham microfibras de **plástico.**[7] Os impactos dessa contaminação ainda não são claros, mas já sabemos que o plástico é capaz de carregar outras substâncias químicas em si e que é possível que essa contaminação afete animais marinhos e nós, humanos, quando comemos animais contaminados. Como são feitas de plástico, não se sabe quantas centenas de anos são necessárias para sua degradação.

Por enquanto, o que se recomenda é usar filtros na saída da máquina de lavar para que essa fibra não vá para o sistema de esgoto, já que a tecnologia para filtrar fibras tão minúsculas ainda não existe. Ou evitar tecidos sintéticos, que causam o problema.

EVITE MARCAS ENVOLVIDAS COM TRABALHO ESCRAVO

Tanto no Brasil quanto no exterior, temos, infelizmente, muitos exemplos de empresas envolvidas com trabalho escravo na produção de roupas. O aplicativo Moda Livre, desenvolvido pela ONG Repórter Brasil, tem uma lista de marcas com notas (dadas de acordo com vários critérios) que pode ajudar na sua busca.

COMPRE ROUPAS DE SEGUNDA MÃO

Comprar usados é mais legal do ponto de vista ecológico porque é um produto que já foi produzido. É uma alternativa mais viável para mais pessoas também, porque o custo das peças é menor.

Você pode achar roupas legais em brechós, que têm cada vez mais uma variedade legal de peças para além das *vintage*; pode ser em sites em que as pessoas revendem suas coisas em ótimo estado; pode ser trocando roupas com amigos, mãe, pai, irmãos, primos. Vamos colocar essas roupas para rodar o mundo e economizar embalagem e recursos usando algo que ficaria parado no cabide do armário de outra pessoa.

Mas não adianta encher o guarda--roupa de peças usadas só porque é baratinho. E, às vezes, comprar uma coisa usada de péssima qualidade é pior que uma nova, mas de **alta qualidade** e que vai durar muitas lavagens. Use os mesmos critérios das roupas novas para as roupas usadas: compre quando precisar e observe os materiais e acabamentos das peças.

Iniciativas como os guarda-roupas compartilhados, onde você aluga peças, também são bacanas. **A gente não necessariamente precisa ter aquela peça: pode usar por um tempo e depois devolver.** Isso já é mais comum para roupas de festas, mas estão surgindo alguns projetos que alugam roupas mais para o dia a dia mesmo. Pode servir para aquela reunião importante, por exemplo.

Falarei mais sobre isso a seguir

PROCURE POR QUALIDADE SEMPRE

Qualidade é essencial, porque isso significa uma vida útil maior para a roupa. Ela vai durar muitos usos e muitas lavagens permanecendo bonita. Sua costura vai se manter firme e forte durante esse tempo. Seu tecido não vai começar a se desfazer em poucas semanas. No caso dos sapatos, eles vão durar mais que alguns meses sem descolar o solado ou rasgar o tecido.

A gente sempre fala para buscar roupas de qualidade, mas como fazer isso na prática? Assim: vire a peça do avesso e veja se a costura está bonitinha, se não tem fio solto. Quando o avesso é embutido, todo bonito como se nem estivesse do avesso, é sinal de extremo cuidado. Tecidos muito fininhos ou tricôs bem abertinhos costumam estragar rápido se você não lavar à mão. Leve em consideração se você vai ter tempo de ter esse cuidado extra.

Às vezes, qualidade é mandar fazer roupas. Aquela costureira supercaprichosa, que faz tudo direitinho, com molde e costura embutida, pode fazer uma blusinha que vai durar muito mais. E claro, marcas preocupadas com todas as questões sustentáveis do ciclo de vida de uma roupa normalmente têm qualidade superior às muito baratas de *fast fashion* porque não são costuradas às pressas em metas malucas e desumanas. Mas nem sempre é assim. Algumas peças de grandes redes são muito bem-feitas, durarão anos – tenho exemplos no meu guarda-roupa para provar – enquanto algumas peças de marcas pequenas descosturam logo. O tamanho da empresa nem sempre significa qualidade, muito menos o preço. Observe os materiais e a costura sempre.

A vantagem de comprar roupas que durem muito é que, se você mudar de estilo e não quiser mais essas peças, pode encaminhar para outras pessoas usarem. Doação, revenda, brechó. Peças estragadas são descartadas e acabam indo para o aterro sanitário, lembra? Ninguém quer usar uma roupa furada, mesmo quem está em uma condição financeira ou de vida difícil. Pense que na outra ponta estão outras pessoas e faça o que você gostaria que fizessem por você: conserte, cuide e doe roupas em perfeito estado de uso.

Aprenda a ler as etiquetas das roupas para não estragá-las na lavagem. Alguns tecidos aguentam água quente e secagem em tambor, mas outros são superdelicados e precisam de menos sabão, ciclos suaves e, às vezes, lavagem só na mão.

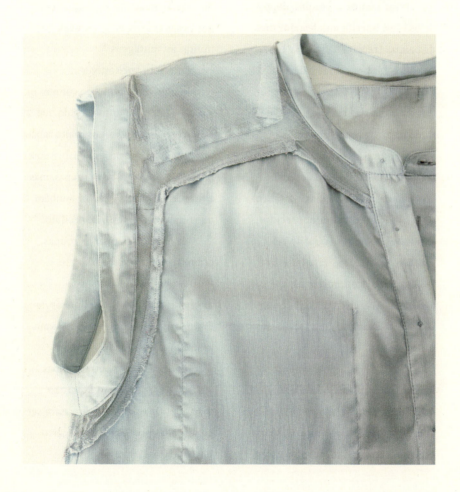

CUIDE MELHOR PARA DURAR MAIS

Para lavar menos as roupas, depois de usá-las, borrife um desodorante de roupas (receita na página 164), pendure em um cabide e deixe arejando fora do guarda-roupa por um dia. Guardar roupas usadas e úmidas faz com que fiquem com cheiro ruim. Desse jeito, você economiza um montão de água lavando menos as roupas e também dá uma vida útil maior aos tecidos, expondo-os menos ao sabão e à secagem. Reduzir as lavagens das roupas pode economizar em até 10% a pegada de água da peça ao longo da sua vida, de acordo com **pesquisas americanas.**[8]

Usar sabão natural e menos agressivo também ajuda. Tem receita na página 160. Ele não resseca a fibra como o sabão em pó comum, limpa mais suavemente, dispensa o uso do amaciante, evita a perda de cor nas peças coloridas ou escuras. São muitas as vantagens.

Enquanto você estiver terminando o último sabão comum na sua casa, passe a usar metade do que está acostumado. Usamos muito sabão por causa das instruções do fabricante, o que não prejudica só as roupas, mas as nossas máquinas de lavar também, que ficam com excesso de produto.

Na hora de guardar as roupas, dobre seguindo o estilo Marie Kondo, do livro *A mágica da arrumação.*[9] Dessa forma, apesar de terem muitas dobras, as peças ficam armazenadas de forma que não sofram a pressão de outras roupas empilhadas, então, não ficam tão marcadas. Já roupas que precisam ser penduradas precisam ter um certo espaço entre si para respirar.

Veja mais sobre o livro da grande mestra da arrumação japonesa na página 207.

Se você quiser guardar os casacos mais pesados no verão e as roupas mais leves no inverno, guarde-os limpos em caixas (plásticas ou de papel) com sachês de giz com bicarbonato de sódio, para evitar o mofo. Se onde você mora for muito úmido, talvez precise de alguma alternativa mais cuidadosa, como deixar em caixas bem fechadas, colocar dentro de sacos para viagem fechados a vácuo.

DESCARTE CORRETO

RESPONSABILIZE-SE PELO DEPOIS

No Brasil, não temos reciclagem de tecidos. O que significa, em suma, que as roupas que não são mais usadas vão para os aterros sanitários, sem chance de reciclagem ou reaproveitamento. A única exceção a essa regra é quando achamos alguma instituição ou marca que faça o recolhimento de peças e encaminhe para algum lugar que os recicle de verdade.

Por isso, mesmo que a tentação de comprar seja enorme, pense em quanto tempo essa peça estará em uma caixa de doações ou no aterro sanitário. O mínimo que podemos fazer é aproveitar muito bem aquela peça e usá-la até que estrague, para compensar todo o custo ambiental de produção, tingimento do tecido, transporte, manufatura e lavagens.

Existem também as campanhas institucionais de diversas prefeituras como a Campanha do Agasalho, que acontece nos meses que antecedem o inverno; ONGs de proteção animal ou outros projetos sem fins lucrativos. Procure instituições de confiança para garantir que essa roupa vai mesmo ter um ciclo e voltar a ser usada por alguém.

Uma coisa que a maioria de nós fazemos quando não queremos uma roupa é colocá-la para doação. Parece de verdade uma ótima solução, mas na verdade não é bem assim. Muitas das roupas doadas em países europeus e nos Estados Unidos não são usadas por ninguém, várias são inclusive enviadas para países da África e da Ásia para serem descosturadas e transformadas em outras coisas. E acabam gerando montanhas e **montanhas de lixo.**[10]

Quando você separar roupas em bom estado de uso para **doação,** procure instituições sérias. Algumas lojas já começaram a oferecer pontos de coleta para a logística reversa, por exemplo.

A seguir, dou algumas dicas do que fazer com as roupas depois que não podemos mais usá-las.

SE A ROUPA ESTRAGOU...

DÁ PARA CONSERTAR?

Pregar um botão, consertar um furinho é superfácil, é só procurar como fazer na internet ou pedir para alguém que sabe costurar. Dá para continuar usando ou doar depois de consertar. Mas a doação precisa ser para algum lugar legal, como já falamos.

DÁ PARA TRANSFORMAR EM OUTRA ROUPA?

É possível transformar a saia curta em longa ou o contrário? Trocar as mangas da jaqueta, tingir o tecido para ficar com uma cor que você goste de usar? Esse é o momento de levar em uma costureira para ela ajudar você a renovar sua roupa.

DÁ PARA TRANSFORMAR EM OUTRA COISA?

Você pode entrar em contato com ONGs que cuidam de animais abandonados para ver se eles querem toalhas, roupas de cama, almofadas, travesseiros e tecidos do tipo. Elas podem servir de cama para os bichinhos resgatados.

Se não der para fazer nada disso, corte em tiras e faça um "fio de malha" para fazer crochê ou tricô e transformar em cachepô ou usar para preencher almofadas.

CAPÍTULO 5

ESCRITÓRIO

MAIS IDEIAS, MENOS PAPÉIS

Papéis, papéis e mais papéis. São contas, materiais de aula ou de trabalho, anotações, livros, revistas... O escritório da casa sempre tem muita papelada – e grande parte, que geralmente fica só atulhada e sem função, pode ser evitada. Diminuir a quantidade de papel é bom porque sua vida fica mais organizada, você evita os resíduos de impressões e economiza recursos naturais. É basicamente o que vou ensinar neste capítulo, para que a papelada de casa seja cada vez menor.

DICAS PARA REDUZIR A PAPELADA

Grande parte da papelada do escritório é composta de documentos e contas. Mas, no mundo digital em que nós já vivemos, não vejo muito sentido em continuar recebendo pelo correio tantas contas e boletos a serem pagos. Para acabar com esse problema, você pode colocar algumas no débito automático – e ainda ganhar a vantagem de não correr o risco de atrasar o pagamento. Outra opção é pedir para receber somente a versão digital da conta para pagar com o aplicativo do banco no celular ou no computador – também não adianta receber as contas no e-mail e sair imprimindo os códigos de barras.

Sei que muitas pessoas ainda não estão habituadas a fazer o controle das contas dessa maneira, mas cada vez mais os principais bancos estão trabalhando em ferramentas e opções para tornar isso possível, mais cômodo e mais seguro. Para manter a segurança das transações, tenha sempre o sistema operacional dos aparelhos atualizado, assim como o aplicativo ou o navegador. As empresas renovam os protocolos de segurança para evitar fraudes, então se você usa uma versão muito antiga pode perder em segurança.

Outro ponto é que muitas pessoas se preocupam em não ter a versão impressa dessas contas com seu comprovante de pagamento, então, a minha dica é enviar por e-mail o comprovante com o boleto em anexo para si mesmo. Você escreve o título sempre com um padrão, como "Pagamento do Aluguel Março de 2018" e, quando precisar, é só fazer a busca. Um e-mail organizado ajuda um montão a vida.

Organizar a vida nem sempre é fácil. Por isso eu recomendo alguns sites e livros muito legais. Se eu pudesse, ficava falando só disso neste livro, mas aqui o assunto é outro!

Vida organizada, Thais Godinho (Editora Gente)

Um livro que compila todas as ideias da Thais, minha maior musa da organização. Ela também é brasileira e tem um blog com o mesmo nome há mais de dez anos. O livro traz exercícios para ensinar a pensar de um jeito organizado e o blog tem conteúdo sempre atualizado.

A mágica da arrumação, Marie Kondo (Editora Sextante)

A japonesa Maria Kondo, mestra no quesito organização e arrumação, basicamente nos diz para segurarmos um objeto com as mãos, um de cada vez, e perguntar se esse objeto nos traz felicidade. Assim, podemos nos livrar das tralhas em nossa casa e ficar só com aquilo que faz sentido, que usamos e de que gostamos. Eu concordo completamente, até porque essa visão de minimalismo também é sustentável. Não desperdiçamos nada se estamos usando tudo.

Fly Lady (www.flylady.net)

Marla Cilley, uma americana que mora na Carolina do Norte, criou um sistema de organização e limpeza da casa baseado em pequenas tarefas diárias. Você pode se inscrever para receber por e-mail ou entrar no site todos os dias que as tarefas novas estão lá. É impressionante como sua casa se mantém limpa quando você faz as tarefas, já que elas são pensadas para todos os cômodos. Eu adoro a simplicidade do método, que basicamente diz que, em quinze minutos, você pode dar conta de um montão de coisas em casa.

Mas é óbvio que essas mudanças em relação a como lidar com a papelada não podem parar nos boletos.

Quem ainda usa agendas, cadernos e planners pode tentar trocar esse peso extra na bolsa pelas versões digitais. Eu acho muito mais prático porque vários aplicativos de celular podem ser acessados também no computador. E você pode mudar a ordem das tarefas, reescrever quantas vezes quiser sem que a página fique toda rabiscada.

Eu me organizo deste jeito:

Calendário: eu uso o calendário do e-mail ou do celular para as tarefas que não podem ser adiadas (show, consulta médica, data de algum evento que estou organizando ou conta para pagar, aniversários etc.). Programo um lembrete para me lembrar no dia anterior. Sucesso!

Tarefas diárias: uso aplicativos para listar as coisas que preciso fazer todos os dias. Alguns aplicativos permitem programar tarefas para se repetir em um intervalo de tempo. Ou seja, toda segunda-feira é dia de conferir os e-mails, toda quarta é dia de ir ao banco e toda sexta é dia de revisar meus projetos, por exemplo. Há muitos aplicativos com funcionalidades diferentes, o segredo é experimentar para ver a qual deles você se adapta melhor. Prometo que ticar as tarefas como feitas quando acabo dá o mesmo prazer de riscar no papel.

Conteúdos e ideias: as minhas anotações também ficam todas on-line. Já existem vários sites que disponibilizam "cadernos digitais". Assim você pode acessá-los de qualquer lugar: as anotações estão sempre salvas e você pode colar links, fotos e ir organizando e se reorganizando do jeito que achar melhor.

APRENDA A DIZER NÃO

Peça para parar de receber as contas na versão impressa, prefira a versão digital. Coloque em débito automático o que for possível, assim você economiza tempo e, de quebra, reduz a preocupação de se esquecer de pagar uma conta.

Recuse os recibos de compras corriqueiras, como no mercado, na feira etc. Pegue só quando forem compras especiais que possam precisar do documento. Se a compra for pela internet, não vai precisar desse cupom fiscal. Se a sua preocupação é com a legalidade da compra e a declaração do vendedor sobre o produto, pague sempre com cartão de crédito ou débito. Desse jeito, o vendedor não tem como mentir que você não comprou lá nem trocar o valor da compra, porque os sistemas de máquinas são ligados a bancos e automaticamente declaram tudo.

Recuse revistas ou livros de brinde. Você provavelmente não vai ler e esse lixo vai começar a se acumular na sua casa.

Recuse propagandas na sua caixa de correios. Se você mora em condomínio, converse com o síndico para que não seja colocada propaganda na caixa dos moradores. Veja mais dicas sobre mobilizar seu condomínio na página 233.

Você também não precisa de uma caneta e um bloquinho de anotações novos a cada evento ou palestra que vai. Se você organiza eventos assim, é uma boa pensar em não fazer esses brindes. Se você frequenta, pode aprender a recusá-los educadamente.

COMPRANDO MENOS E MELHOR

Se você chegou até aqui, já sabe que, quando a gente fala de sustentabilidade, na maioria das vezes, o mais sustentável é não comprar coisas novas, mas usar o que já tem em casa. É esse o caso de materiais escolares e de papelaria.

COMECE EM CASA: O QUE VOCÊ JÁ TEM?

A maior parte das pessoas tem vários materiais em casa que não foram usados, mas que ainda podem ser. Que tal separar tudo, testar e ver o que ainda funciona e o que dá para usar?

Veja se dá para arrumar o que está estragado. Algumas coisas só precisam de um conserto simples ou até de uma limpeza, como o elástico das pastas, que dá para trocar. Para os cadernos que só tiveram poucas folhas usadas, separe para reciclagem as usadas e aproveite as que sobraram em branco.

Isso serve também se você tiver filhos. Negocie com eles para tentar não comprar novos cadernos, mas reencapar os que eles já estavam usando para deixá-los mais atuais para o momento da vida das crianças. Você pode fazer uma capa bonita, imprimir em uma gráfica e deixar o caderno único. Ou criar um protetor de capa feito de tecido que, além de proteger o livro ou caderno, também pode ter a cor ou estampa que você ou seu filho quiser.

DICAS PARA A HORA DE COMPRAR COISAS NOVAS

Se a ideia é gerar menos lixo comprando menos e usando tudo o que você já tem até acabar mesmo, talvez um dia as coisas realmente acabem. Por isso, agora entra em cena um guia de como comprar o novo minimizando o impacto no futuro.

MOCHILA

Mochila é uma compra que pode ser feita pensando para ser usada a vida toda. Se você já tem uma boa, que funciona, por que não continuar usando? Se estragou alguma coisa, dá para mandar em um sapateiro para consertar zíper, alça etc. Vai sair bem mais barato e você deixa de jogar fora uma mochila boa com um probleminha.

Agora, se você for comprar uma nova, escolha uma mais neutra para não enjoar. Isso vale principalmente se você comprar a mochila para uma criança ou adolescente. Algumas marcas têm garantia vitalícia do produto e isso é muito legal para investir com confiança de que vai ser um bem durável. Vale a pena investir um pouco mais de dinheiro em uma peça que vai te acompanhar por anos nos estudos ou nas viagens.

CADERNOS

Uma ideia muito legal é usar protetores de tecido para os livros, apostilas e cadernos. Assim, eles duram o ano todo bem cuidados e dá para mudar cor e estampa, sem precisar de um caderno novo, além de evitar encapá-los com plásticos adesivos, que impossibilitam a reciclagem. Essas capinhas de tecido vão durar muitos anos.

Outra dica é preferir fichários a cadernos, se você puder escolher. Um fichário dura mais tempo e é só comprar folhas novas depois. No futuro, você pode reaproveitar as argolas de um fichário antigo e fazer uma nova capa (é só aparafusar em outra capa) e ainda reaproveitar folhas em branco que sobraram de cadernos.

PASTAS

Prefira as de papel sem estampas brilhantes, porque normalmente essas versões têm um plástico fininho que envolve o papel e dificulta e até impossibilita a reciclagem depois.

LÁPIS OU LAPISEIRA

Se você precisa comprar uma nova, dê preferência para as que têm o corpo de metal – elas não vão quebrar e estragar tão fácil quanto as de plástico. Uma dica para manter as lapiseiras funcionando mais tempo sem problemas é não deixar grafites dentro dela, pois elas quebram e podem entupir o mecanismo.

Lapiseiras são ótimos substitutos aos lápis porque duram muito mais e a gente usa só grafite, sem precisar da madeira para escrever.

LÁPIS DE COR, GIZ DE CERA OU PASTEL E OUTRAS COISAS COLORIDAS DE PINTAR

Em vez de comprar um kit novo, que tal comprar só a cor que acabou? Muitas vezes uma ou duas cores acabam mais rápido porque usamos mais e, quando a gente compra uma caixa para repor só aquelas duas cores, acaba desperdiçando todo o resto. Muitas papelarias já vendem os lápis separados e assim também dá para comprar cores especiais sem precisar de um kit inteiro novo.

Novamente, essa é uma escolha que vem com o bônus da economia.

Quem tem filho pequeno costuma comprar tinta guache para o ano todo em embalagens pequenas e individuais. Combine com a turma ou com a escola de cada um comprar um potão. Instale uma válvula tipo *pump* (dessas de saboneteira) para ser mais fácil de pegar a quantidade a ser usada. Algumas marcas já têm essa opção. Assim você faz com que a tinta dure mais tempo sem estragar e promove a interação das crianças na escola.

BORRACHA

Prefira as opções sem capinha de plástico e feitas com borracha natural rastreada. Você vai precisar conferir na embalagem essa informação.

O QUE PARAR DE USAR

CANETA

Existem opções muito legais de canetas-tinteiro que você enche de tinta para usar sempre a mesma caneta. São canetas parecidas com as canetas-tinteiro de antigamente, mas com uma tecnologia melhor. Tem até algumas com a ponta esferográfica. Você precisa comprar um pote de tinta e encher a caneta quando for preciso. Como o potinho é de vidro, facilita a reciclagem na hora do descarte, diferente das canetas esferográficas comuns.

MARCADORES DE TEXTO

Você pode trocá-los por lápis de cor neon ou giz de cera. O que importa é dar o destaque no texto sem usar plástico.

CORRETIVO

Risque com a caneta e escreva o texto correto do lado. Sem danos para ninguém.

JOGANDO FORA O QUE FOR PRECISO

A Terracycle é uma empresa global cujo foco é justamente a reciclagem de resíduos difíceis. Entre em contato pelo site <www.terracycle.com.br>.

Tão importante quanto parar de trazer papel para a sua casa é dar o fim correto para as coisas que não tem como aproveitar. Na hora de jogar fora, separe os materiais e encaminhe para a reciclagem. Se ficar na dúvida, volte na página 11 e veja o guia de separação sugerido. Para papéis em geral: dá para usar o verso como bloco de anotações e, no fim das contas, mandar para reciclagem sem o grampo de metal nem nada adesivo.

\# Verifique se existe um ecoponto específico para materiais escolares perto da sua casa. Algumas livrarias e papelarias oferecem uma caixa de descarte. Alguns projetos como o **Terracycle** permitem que você crie uma brigada para juntar materiais específicos e encaminhar para a reciclagem adequada.

\# Para quem já está na faculdade e acaba com um monte de cópias de materiais das disciplinas todo semestre, dá para combinar um apadrinhamento da próxima turma dessa matéria e doar as impressões. O Centro Acadêmico do seu curso pode ajudar também, catalogando as cópias por assuntos ou matérias.

Se você tem filhos, provavelmente também tem um grupo com as mães e os pais da turma do seu filho. Que tal sugerir um bazar com as coisas das crianças? Porque nem sempre o que a gente tem é interessante no próximo ano, mas o do coleguinha sempre é mais legal, né? Assim as crianças aprendem a dividir em vez de comprar tudo novo. Fora que vai ser uma economia que vale sempre a pena.

EM RESUMO, TENTE SEMPRE PENSAR EM:

1. Usar o que você já tiver em casa antes de comprar algo novo.

2. Evitar plástico sempre que possível.

3. Escolher marcas que fazem produtos para durar a vida toda, que priorizam a qualidade do produto em si e possam ser reutilizadas sempre que possível.

4. Escolher opções que tenham tamanho família para compartilhar e durar mais em vez de versões pequenas que geram mais lixo de embalagem, principalmente em tintas e itens compartilhados na escola.

5. Escolher produtos que sejam feitos com insumos retornáveis ou sustentáveis como papel reciclado, madeira de reflorestamento etc.

BIBLIOTECA EDITADA E VIVA

Eu não sou um exemplo muito bom quando se trata de uma biblioteca minimalista. Sou uma leitora um tanto voraz desde muito nova, amo livros na versão impressa, principalmente pela materialidade e por seu projeto gráfico (foi por isso que me formei em design gráfico). Mas, recentemente, comecei a tirar da minha estante os livros que não faziam mais sentido para mim. Hoje eu deixo apenas livros que amei muito e quero reler, livros que tenham muito significado e me deixem feliz, edições especiais de capa dura. Lembra que eu falei da Marie Kondo no começo do capítulo? É essa a lógica. Deixe o que faz você feliz.

Mas não jogue fora os livros que não quer mais! Que desperdício de papel, de ideias e de tinta! Venda para um sebo, venda para os amigos por um preço simbólico, doe para alguma escola, biblioteca pública, universidade ou alguma instituição de ensino. Faça esse livro ter vida e ser lido, que é para isso que ele foi editado.

A internet é um mundo maravilhoso para fazer um sebo virtual e conseguir uma graninha ou outros livros no lugar dos que você não quer mais.

Os leitores digitais são uma opção muito legal para carregar milhares de histórias em poucos gramas. Depois que eu comecei a usar um, passei a comprar muito menos livros "de papel". Na versão digital, você consegue ler uma amostra do livro pelo qual se interessou e, se não gostar, economiza esse dinheiro. Você tem a opção de fazer anotações e destaques que são muito úteis para quem estuda. Dá para colocar textos da faculdade no seu leitor (cada um tem seu método) para estudar. E ele é leve, pequeno e não dói o braço na hora de ler. Existem muitas opções, vale a pena ir atrás.

CAPÍTULO 6

SAINDO DE CASA

O LIXO DE TODO MUNDO

Se você chegou até aqui: ufa! Mexer em todos os cômodos da casa requer paciência e persistência. Mas convenhamos que essa mudança ainda está dentro de uma zona de conforto; afinal, nossa casa, nossas regras. Quando a gente pisa para fora de casa é que a coisa fica mais difícil, porque dependemos dos outros estarem caminhando com a gente. A parte mais importante das mudanças que estou propondo é conversar com as pessoas. É interagir com o atendente da lanchonete, com o síndico do condomínio, é se organizar com o pessoal da rua, é ir atrás da prefeitura da sua cidade em busca de respostas e ações. Meu papel aqui é dar os caminhos para que você possa sair de casa com argumentos que façam a sua comunidade passar a ver o lixo como um problema de todos. Vamos lá?

KIT LIXO ZERO PARA TER SEMPRE NA BOLSA

O mundo hoje está estruturado em um sistema que gera muitos resíduos. Pense na hora de comer fora de casa, por exemplo. São infinitos tipos de embalagens descartáveis para que possamos comer um pão de queijo por um minuto, tomar um suco por três minutos e carregar um lanche por duas quadras. A praticidade de comer andando cria uma quantidade absurda de lixo que, muitas vezes, nem reciclado será. Esses resíduos de comida de rua são normalmente de plástico sujo com restos de comida, que acabam sendo misturados com outras embalagens sujas e enviados para os aterros, em vez de separados para a coleta seletiva. Por isso é tão importante ter um **kit lixo zero** sempre com você e assim evitar esse lixo problemático – usando suas versões reutilizáveis.

Os itens a seguir são minhas sugestões, baseadas nas experiências de todas as vezes em que comi fora. Se alguma coisa não fizer sentido no seu contexto pessoal, é só não levar. Se alguma coisa estiver faltando para o que você costuma comer, é só incluir. Aqui são as diretrizes, mas o importante é elas funcionarem na sua rotina.

GUARDANAPO DE PANO

O guardanapo de pano substitui o de papel na hora de se limpar, mas também serve para pegar uma comida e até fazer uma trouxinha para levar algo na bolsa para comer mais tarde. Faça guardanapos com restinhos de tecido que você tem em casa (quadrados, com cerca de 45 centímetros de lado), e assim você pode usar o mesmo por vários dias, dobrando a parte que ficou mais suja. Para tirar os farelos é só bater. Quando estiver muito sujo, coloque para lavar junto com os outros panos de cozinha. Assim você economiza litros de água, árvores e mais árvores, energia e químicos que são usados no processo de fabricação do papel, além de evitar produzir um lixo que vai se decompor em um ambiente inadequado: o aterro sanitário.

TALHERES

Leve com você para comer sem precisar de talheres descartáveis de plástico, muito menos embalados em saquinhos. É útil para o que a gente não come com as mãos e salva muito mesmo quando você não imagina. Depois é só lavar e guardar no seu estojo. Dica: se você quer viajar de avião com os talheres, eles não podem ser de metal! Mas vale de bambu, viu?

COPO RETRÁTIL, GARRAFA DE INOX OU POTINHO DE VIDRO

Os copos descartáveis são um dos grandes lixos plásticos de um uso só produzidos no mundo atualmente. Bebemos algo por segundos e já jogamos fora. Isso gera toneladas e mais toneladas de lixo plástico que contamina os oceanos e, no caso dos copos de papel com uma camada interna de plástico, que não pode ser reciclado... Esse é um problemão que a gente deixa de produzir carregando o próprio copo!

Caneca de metal, copinho reutilizável, pote de vidro, tanto faz o que você escolher para carregar na bolsa. Usei por muito tempo potinhos de vidro tipo de palmito. São bons porque não custam nada, você já tem em casa. Além de terem tampa segura!

O copo retrátil é um tipo de copo que (adivinha!) expande e contrai. Existem versões de **silicone** e de metal. Cuidado com o de metal, que esquenta com bebidas quentes e pode machucar. A vantagem de um copo desses, que você encontra em lojas de acampamento e material esportivo, é que muitos têm as marcações da capacidade em mililitros dentro, facilitando na hora de pedir uma

O silicone precisa ser de grau alimentício, livre de bisfenol A e ftalatos. Apesar de ainda não ser reciclado no Brasil, é um material reciclável e inerte, mais seguro que o plástico comum.

bebida. Copos e potes de vidro também servem para você pedir algumas comidas como sorvete, açaí, sopa, risoto. Vende-se de tudo hoje em dia nos *food trucks*, não é?

Quem bebe muita água e passa muito tempo fora pode preferir levar uma garrafinha de inox, assim você leva com água e compra um suco na volta para casa. Prefira as opções térmicas, assim você pode usar para bebidas quentes nos dias frios e para as geladas nos dias quentes, sem se queimar ou molhar todas as suas coisas na bolsa com o suor. As garrafas de inox são seguras, duram a vida toda e são melhores que as opções de alumínio e plástico, que podem liberar substâncias na bebida. Você pode reaproveitar uma garrafa de vidro também, mas precisa lembrar que quebra se não tiver cuidado e é mais pesada.

HASHIS

Para quem gosta de comidas orientais, levar o seu é melhor que usar os de bambu descartáveis cada vez que for comer. Além do mais, os seus serão melhores para pegar a comida. Sei que parece meio exagero e talvez eles não façam tanto sentido para você, mas eu já usei tantas vezes por aqui que sempre foi um item indispensável do meu kit. E, em caso de emergência, dá para prender o cabelo também!

CANUDO REUTILIZÁVEL

Os canudos andam junto com os copinhos descartáveis no quesito problema, por serem produtos plásticos de um uso só. Além de serem muitas vezes desnecessários, são um lixo difícil de lidar porque são pequenos, normalmente ficam sujos e são descartados com o lixo orgânico. E muitos, mas muitos mesmo, vão parar no mar. Eles acabam sendo ingeridos por animais marinhos, pássaros e causam a morte desses bichinhos.

Dispense o canudo sempre que pedir uma bebida na rua e, se você prefere beber com um, carregue o seu. Existem opções de inox, de bambu e de vidro. Eles têm escovinhas de limpeza para serem limpos por dentro.

MUDANÇA DE PENSAMENTO

Não tem muito segredo na hora de pedir para que sua comida ou bebida sejam servidas diretamente nos seus utensílios, mas eu tenho algumas dicas que podem facilitar:

1. Já fique com seu kit na mão na hora de falar com o atendente.

2. Explique que você quer que coloquem seu lanche e sua bebida ali – provavelmente não vai ter problema nenhum, as pessoas costumam achar legal, isso sim.

3. Só então peça o que quer. Assim você consegue a atenção do atendente antes de ele ir automaticamente servindo no jeito padrão do estabelecimento.

4. Fique a postos com o copo e o guardanapo esperando.

5. Agradeça pela gentileza com um sorriso no rosto e aproveite!

Teve problema em algum lugar na hora de pedir sua comida? Baixe o cartão disponível no QR Code ao lado. Imprima as dicas e deixe como sugestão para o gerente da loja.

bit.ly/2JAziOb

FUROSHIKI

CAIXA

Esta técnica japonesa de embrulhar coisas em um quadrado de tecido surgiu há muito tempo e era usada para embrulhar as roupas na hora dos banhos públicos. Hoje existem várias dobraduras para você carregar compras, dar presentes sem embalagens que viram lixo, fazer uma bolsa quando precisar e mais. O principal para quem não quer produzir lixo é pensar em fazer suas compras sem aceitar um lixo plástico, e essas dobraduras vão ser de muita ajuda, acredite em mim.

    Seu guardanapo de pano serve para fazer um ótimo *furoshiki*, principalmente se ele tiver os 45 centímetros de lado que eu sugeri antes. Mas você pode usar qualquer tecido: retalhos de algodão costurados ou até um lenço mais bonito se for uma embalagem de presente (vira dois presentes em um!).

PORTA-GARRAFAS ## BOLSA

UMA VIDA SEM LIXO

EMBRULHO COMPRIDO   PACOTE COM DOIS LIVROS

SAINDO DE CASA

VIAJANDO SEM PRODUZIR LIXO

Viagem é aquele momento em que toda a sua rotina vai para o espaço e, com isso, acaba sendo mais difícil imaginar como conseguir ficar sem produzir lixo como no dia a dia. Mas isso não é verdade. Mais uma vez, você só precisa de um pouco de planejamento para evitar os resíduos mais comuns durante este processo todo. Pensando que este é o último capítulo e você já aplicou o que leu até aqui, já temos várias vantagens. Você usa cosméticos naturais que vêm em menor quantidade, muitos são opções sólidas e que duram bastante tempo. Você já tem menos roupas e as usa com mais inteligência, além de ter roupas que funcionam em muitas situações. Agora é só ver minhas dicas especiais para viagem que vai dar tudo certo. :)

CARTÃO DE EMBARQUE

Hoje em dia você pode fazer *check--in* e baixar seu cartão de embarque no próprio celular. O leitor das companhias funciona na tela do aparelho e você evita esse papel impresso.

BAGAGEM DE MÃO

Vamos ser sinceros: com tudo o que você já leu até agora, ficou muito mais fácil viajar só com uma bagagem de mão. Assim você embarca e desembarca mais rápido e evita um lixo não reciclável: a etiqueta adesiva das bagagens despachadas. Se não tiver jeito e a viagem for muito longa, paciência. Mas na maioria das vezes dá para evitar, nós sabemos.

COMIDAS NO AVIÃO

Se a viagem for curta, você pode recusar sem medo de ser feliz. Se tiver sede, peça a bebida direto no copinho do seu kit lixo zero que está sempre na sua bolsa. Agora, quando a viagem for mais longa, vale uma preparação maior. Compre, na área de embarque, um lanche gostoso usando seu guardanapo de pano ou sua marmita. Assim, você pode recusar o serviço de bordo, que normalmente só tem embalagem plástica e descartável, uma tristeza.

RECUSE OS BRINDES

Principalmente os de hotel. Você não precisa de sabonete, xampu, touca de cabelo, nada disso. Você já levou tudo o que precisava e não tem necessidade de gerar esse lixo e usar esses produtos que nem natural são. Antes de aceitar *folders* e mapas, pense se você vai realmente usá-los impressos ou se tudo o que você precisa está no mapa do seu celular.

COMER NA RUA

Seu kit lixo zero vai trabalhar bastante nesses dias de viagem. Eu costumo deixar dois guardanapos na bolsa, porque costumamos comer mais vezes na rua. Passe uma água nos copos e talheres no lugar onde você comeu mesmo, para não ficarem muito sujos. Chegando em casa (ou no hotel), lave tudo, inclusive os guardanapos, e deixe secando para o próximo dia. Leve pelo menos quatro guardanapos para fazer isso todos os dias e não ficar sem.

COMPRAS DURANTE A VIAGEM

Deixe sempre uma *ecobag* na bolsa para guardar possíveis compras e evitar as sacolas das lojas, bem como algumas embalagens desnecessárias.

UMA VIDA SEM LIXO

PRÓXIMOS PASSOS: LEVANDO A MUDANÇA PARA ALÉM DA SUA CASA

Mudar nossos hábitos é bastante trabalhoso. Requer paciência e perseverança, mas, como já dissemos, ainda é dentro da nossa zona de conforto, num esforço que só depende de nós mesmos... A coisa muda de figura quando a gente precisa conversar com nosso síndico, nosso prefeito e nossos vizinhos para mudar o entendimento sobre o lixo, demandar uma coleta seletiva ou pedir que o poder público faça seu trabalho.

A lei brasileira que fala sobre a gestão dos resíduos é a **Política Nacional de Resíduos Sólidos.**[1] Essa lei prevê que as empresas precisam se responsabilizar pelos resíduos gerados por meio de uma logística reversa, ou seja, que devem ser responsáveis por dar fim aos produtos produzidos depois de utilizados. A lei também não permite a existência de lixões nem de aterros controlados, apenas **aterros sanitários**, que seguem normas mais rígidas para assegurar que o lixo armazenado no local não contaminará o lençol freático, com regras sanitárias, impedindo pessoas de catarem lixo naquele local, entre outras coisas. Quando foi criada, em 2010, essa lei também estipulou metas para reduzir o desvio de lixo da reciclagem para 2015 (infelizmente já descumprimos o prazo). É uma lei bastante completa, que inclusive valoriza o trabalho dos catadores, que costuma ser esquecido por todos nós quando pensamos em soluções para o lixo.

> Os aterros sanitários se diferenciam dos lixões e dos aterros controlados por receberem impermeabilização do solo, tratamento do chorume e dispersão de gases.

COMO PEDIR A COLETA SELETIVA NA SUA CIDADE

Caso seu município ainda não tenha sistema de **coleta seletiva**, você pode começar uma movimentação para que a prefeitura coloque isso em pauta logo. Você vai precisar fazer um requerimento com esse pedido, que pode precisar também de um abaixo-assinado. Cada prefeitura tem regras particulares, então você deve entrar em contato primeiro e saber qual a forma indicada por sua prefeitura para fazer esse requerimento. Acessando o link do QR Code ao lado você abre um arquivo com um modelo de requerimento padrão, modelo de e-mail para cobrar vereadores e modelo de e-mail ou mensagem para mandar para seus vizinhos. Tudo (quase) prontinho para você disparar para as pessoas!

Se você conhece ou tem contato com algum vereador (pode ser o vereador em quem você votou), pode mandar um e-mail pedindo para que essa solicitação seja levada para votação na câmara de vereadores. Assim, se aprovada, a prefeitura começa a fazer licitações, obras e os encaminhamentos necessários.

Esse tipo de cobrança é fundamental para que as mudanças aconteçam. Mas, como esses processos são todos demorados, precisamos pensar em soluções que possam ser implementadas antes.

FAZENDO A GESTÃO DE RESÍDUOS SÓLIDOS NO SEU CONDOMÍNIO

Não adianta você separar o lixo se no seu condomínio tudo vai ser misturado e enviado para a coleta comum depois. O condomínio precisa encaminhar os lixos adequadamente e, para isso, talvez seja preciso contratar um engenheiro sanitário e ambiental que monte toda a organização da gestão de resíduos. Isso depende muito da quantidade de apartamentos e lixo gerado. Com ajuda profissional é sempre mais fácil e a chance de ser eficaz de verdade é muito mais alta. De uma forma geral, o que precisa ser feito é:

Conversar com o síndico e o zelador para que isso seja uma

É importante verificar isso antes, já que muitas pessoas moram em cidades com coleta seletiva, mas ainda não sabem que ela existe. Às vezes, a coleta não é na sua rua, mas na rua ao lado – é só levar lá então, deixe de preguiça!

bit.ly/2ydWnRg

UMA VIDA SEM LIXO   233

Se na sua cidade tem universidade, você pode entrar em contato com o curso de Engenharia Sanitária e Ambiental para ver se existe algum projeto de extensão em que os estudantes fariam o sistema de gestão do seu condomínio.

Você já aprendeu como separar e encaminhar os lixos por tipos lá na introdução, é só seguir o que ensinei pensando no condomínio.

preocupação do condomínio – a questão financeira é sempre um bom argumento para esse assunto entrar na pauta da assembleia.

Aprovar em assembleia a contratação de um **engenheiro** para fazer a gestão dos resíduos.

Criar um sistema completo que inclua compostagem, contentores de lixos especiais, contentores de **lixos recicláveis.**

Criar um sistema que eduque os moradores a separar corretamente o lixo, a usar os novos contentores e mostrar quais são as vantagens (como o dinheiro gerado na venda de materiais recicláveis e o dinheiro economizado com o uso do adubo da compostagem na manutenção das áreas verdes do prédio, que diminuem a taxa de condomínio).

Contratar pessoas que façam a manutenção de todo esse serviço, para que não seja esquecido com o tempo.

Se sua cidade não tem coleta seletiva, esse é um motivo ainda maior para implementar essas ideias no seu condomínio. Vocês podem vender o lixo reciclável para uma cooperativa ou recicladora, ou contratar uma associação de catadores para ir buscar o lixo reciclável em um dia estipulado.

Os lixos especiais (pilhas e baterias, lâmpadas, eletrodomésticos e eletrônicos, roupas) precisam ser recolhidos por empresas especializadas, que, muitas vezes, compram esse resíduo porque ganham dinheiro no processo da reciclagem. É mais uma fonte de renda para os moradores!

Outra ideia muito legal é promover algumas vezes no ano um brechó com itens usados dos moradores. Cada um leva o que não quer mais, de roupas a eletrodomésticos, e ganha um ponto por item que levar. Então, vocês têm vários pontos para "comprar" o que quiserem dos vizinhos sem precisar de dinheiro. É claro que todo mundo precisa concordar com esse esquema e, quem não quiser, não precisa participar. No fim, organize para que uma instituição (ONG, asilo, protetores de animais) recolha o que sobrou para gerar renda e continuar seu trabalho voluntário.

UNIVERSIDADES E ESCOLAS

Os lugares cuja função é formar as pessoas para o mundo muitas vezes não lidam da melhor forma com os resíduos. Inclusive geram muito lixo perigoso, no caso dos laboratórios das faculdades. Não tem outro jeito de melhorar isso sem tomar partido e começar um movimento. Fale com o grêmio estudantil, com o centro acadêmico e faça um movimento dos estudantes. Se você é pai ou mãe de um aluno, estudante ou funcionário de uma instituição de ensino, leve esse questionamento para a organização. Pesquise que tipos de resíduos são gerados e proponha mudanças para reduzir, reutilizar e reciclar corretamente. De uma forma geral, o que pode ser feito é:

Unir estudantes, técnicos, professores, diretoria, servidores para chegar ao objetivo final. É importante que todos queiram tornar a escola ou a universidade lixo zero, porque são esforços necessários de todos os lados.

Reduzir o desperdício de alimentos, de papéis e de materiais escolares. Reduzir o uso de água e luz colocando avisos em interruptores e torneiras. Instalando aeradores nas torneiras e descargas mais econômicas nos

banheiros. Trocando as lâmpadas por versões mais econômicas, como as de LED.

Reaproveitar papéis com impressão de um lado só para rascunho. Promover oficinas de marcenaria para os alunos consertarem as carteiras e cadeiras dando a elas mais vida útil. Incentivar o uso de copos reutilizáveis e não disponibilizar os descartáveis.

Reciclar o lixo seco que precisa ser separado adequadamente. Promover coleta de material escolar de difícil reciclagem como canetas, caneta de quadro-branco, giz, lápis de cor, chamando uma brigada da Terracycle ou outra empresa especializada em coleta de lixo especial. Ter disponíveis coletores especiais só para papel em cada sala, promovendo o descarte correto (empilhando sem amassar). Parar de encaminhar os resíduos orgânicos para o lixo comum e começar a fazer compostagem e também uma horta.

Encaminhar adequadamente os lixos especiais e perigosos. Isso vale mais para as universidades que têm laboratórios de medicina, química, farmácia etc. e usam diversas substâncias químicas em experimentos e testes. É preciso separar esses materiais com muito cuidado. O descarte inadequado dessas substâncias é perigoso para as pessoas, que podem se contaminar; para o meio ambiente, porque pode poluir rios e terrenos; e para animais, que podem ser envenenados.

Comece a tomar atitudes! Planeje muito bem com seus colegas e, em breve, você terá um movimento lindo acontecendo ao seu redor.

LOJAS E MERCADOS

Se você vai sempre a um restaurante e eles insistem em colocar um canudo de plástico no suco, mesmo sem ninguém pedir, você pode e deve reclamar. Explique o problema, sugira uma mudança para a ação que gera muito lixo, ofereça-se para ajudar a pensar em uma solução (afinal de contas, agora você já está mais que capacitado para isso, veja quantas páginas você já leu só sobre soluções!) e tenho certeza de que vai ser uma ação de sucesso.

Muitos donos de negócios simplesmente não sabem que podem fazer a mesma coisa gerando muito menos resíduo – e muitas vezes economizando dinheiro! Mostrar essa alternativa pode fazê-los abrir a cabeça. Vamos incomodar os estabelecimentos desse país, vamos mostrar que queremos soluções menos poluentes, mais inteligentes e que se preocupem em gerar menos resíduo para o mundo.

Se você tem um negócio: comece com o básico, lidando com o lixo do jeito adequado – separando e encaminhando cada material para seu destino adequado. Depois, repense que coisas você oferece que são desnecessárias e geram um resíduo que poderia ser evitado. E se ficar complicado, contrate alguém para fazer uma consultoria: um designer de produto se o problema é a embalagem, um engenheiro ambiental etc. Imagina que coisa linda se o seu negócio parar de causar um impacto negativo e passar a gerar um impacto positivo com pouco esforço e pequenas ações.

Não esqueça que, em todos os casos, é importante treinar bem a equipe que vai ficar responsável pela limpeza ou os funcionários que vão lidar diretamente com os resíduos da empresa, escola, universidade, condomínio – seja quem coloca o lixo para o caminhão recolher, seja quem coloca o lixo na lixeira. Todo mundo precisa saber as mesmas coisas, assim ninguém erra em nenhum ponto.

> **COMO SEPARAR O LIXO**
> O QR Code ao lado é um link para um cartaz que ensina a separar o lixo. Você pode colar no trabalho, no condomínio ou onde quiser. A ideia é espalhar o conhecimento sobre o melhor jeito de fazer a coleta seletiva.

bit.ly/2JAziOb

UMA VIDA SEM LIXO

IDEIAS PARA VOCÊ GANHAR DINHEIRO

Suspeito que você esteja muito animado enquanto lê este finalzinho do livro. Eu estou muito animada enquanto escrevo esta parte, porque estamos organizando uma revolução e isso não é pouca coisa! Por isso quero dar ainda mais caminhos para que você mude o mundo: criando uma empresa que queira fazer isso. Deixo aqui algumas ideias de negócios que fazem sentido com tudo isso que falei até agora e que queria que existissem para que a maior quantidade de pessoas tenha acesso às opções lixo zero.

EMPRESA DE COMPOSTAGEM

Empresa que coleta resíduos orgânicos de pessoas ou empresas e os encaminha para compostagem (vai precisar de um espaço grande para isso). Quem participa pode pedir adubo conforme a quantidade de resíduos enviado e deixa de mandar tudo isso para o aterro sanitário. Pode ser uma empresa enorme, cuidando de creches e escolas públicas, de empresas grandonas. Ou pode ser uma empresa pequena, que recolhe um baldinho por semana da casa de cada pessoa.

LOJA A GRANEL

Loja que venda tudo a granel. Grãos, farinhas, temperos, biscoitos, chocolate, frutas cristalizadas, chás, sabonetes, óleos vegetais, vinagre, molho de soja, cosméticos. Não disponibilizar embalagem plástica e estimular que as pessoas tragam suas próprias embalagens, como a loja portuguesa Maria Granel e a alemã Original Unverpackt. Dá para aproveitar e vender itens lixo zero como canudos reutilizáveis, guardanapos de pano, *ecobags*, saquinhos de tecido para as compras a granel, escovas de dente de bambu e muito mais.

LOJA DE ORGÂNICOS

Muita gente reclama que os orgânicos são caros, então que tal abrir uma loja para promover um acesso melhor a esses produtos? Faça a ponte entre produtores locais e os clientes e venda produtos com preço mais acessível e dispensando as embalagens que são obrigatórias em mercados comuns. Você pode pensar em oferecer também, além de verduras e frutas, grãos a granel. Você pode vendê-los em saquinhos de papel, bem *vintage*.

PRODUTOS LIXO ZERO

Quem sabe costurar pode fazer estojinhos para guardar o kit lixo zero, guardanapos de pano, saquinhos para as compras a granel, *ecobags*, filtro de café, discos de crochê para tirar a maquiagem e outras tantas coisas necessárias a quem quer parar de produzir lixo.

LOJA DE COSMÉTICOS NATURAIS

Uma loja de cosméticos naturais, orgânicos, que fazem bem para a pele e não destroem o mundo. Tem um montão de marcas disponíveis para você vender na sua loja, de maquiagem a cosméticos, óleos vegetais e essenciais. E você ainda pode usar o espaço para dar alguns cursos de cosméticos caseiros, saboaria artesanal, rotina de beleza.

NOTAS

INTRODUÇÃO

1   De acorco com a pesquisa Ciclosoft 2017, feita pelo Instituto Compromisso Empresarial para Reciclagem (CEMPRE). Disponível em: <http://cempre.org.br/>. Acesso em: jun. 2018.

2   Bea Johnson. *Zero Waste Home: The Ultimate Guide to Simplifying Your Life by Reducing Your Waste.* Nova York: Scribner, 2013.

CAPÍTULO 1
COZINHA – O CORAÇÃO DA CASA

1   *Guia da coleta seletiva de lixo.* Texto e coordenação de André Vilhena; ilustrações Sandro Falsetti. São Paulo: Compromisso Empresarial para Reciclagem (CEMPRE), 2013. Disponível em: <cempre.org.br/artigo-publicacao/artigos>. Acesso em: mar. 2018.

2   Certificação selo orgânico do Brasil. IBD Certificações. Disponível em: <ibd.com.br/pt/IbdOrganico.aspx>. Acesso em: mai. 2018.

3   Informação do documentário *Amanhã* (Direção: Cyril Dion, Mélanie Laurent. Roteiro: Cyril Dion. França: France 2, 2015. 118 min).

4 "Livestock's Long Shadow: environmental issues and options". Food and Agriculture Organization of the United Nations. Roma: 2006. Disponível em: <www.fao. org/docrep/010/ a0701e/a0701e00. HTM>. Acesso em: mar. 2018.

5 Sayathri Vaidyanathan. "How Bad of a Greenhouse Gas is Methane? The global warming potential of the gaseous fossil fuel may be consistently underestimated". *Scientific American.* 22 de dezembro de 2015. Disponível em: <www. scientificamerican. com/article/ how-bad-of-a-greenhouse-gas-is-methane/>. Acesso em: mar. de 2018.

6 Cowspiracy, Facts. Disponível em: <www. cowspiracy.com/facts/>. Acesso em: abril 2018.

7 *Global food losses and food waste – Extent, causes and prevention.* Food and Agriculture Organization of The United Nations. Global. Roma: FAO, 2011. Disponível em: <http://www.fao.org/docrep/014/mb060e/mb060e00.pdf>. Acesso em: mai. 2018.

8 Adina Grigore. *Skin Cleanse: The Simple, All-Natural Program for Clear, Calm, Happy Skin.* Nova York: Harper Wave, 2015.

9 "Controvérsias sobre o flúor". *Scientifc American Brasil.* Disponível em: <www2.uol. com.br/sciam/ reportagens/ controversias_sobre_o_fluor.html>. Acesso em: mar. de 2018.

10 Segundo pesquisa feita pela Ong Orb Media. Disponível em: <orbmedia.org/ stories/Invisibles_plastics>. Acesso em: abril 2018.

CAPÍTULO 2
BANHEIRO – CUIDANDO DA GENTE E DO PLANETA

1   Leila Maria Leal Parente, Lívia Martins Carneiro, Leonice Manrique Faustino
    Tresvenzol, Geisa Ferreira Costa Makishi, Nilo E. Gardin. "Câncer de mama
    e cosméticos". *Arte Médica Ampliada*. Vol. 35, n. 1. Jan.-mar. 2015. Disponível
    em: <abmanacional.com.br/arquivo/cfb3f01417789d6e3639ea504c08327eab1
    dc37b-35-1-cancer-de-mama-e-cosmeticos.pdf>. Acesso em: mai 2018.

2   P. D. Darbe, A. Aljarrah, W. R. Miller, N. G. Coldham, M. J. Sauer, G. S.
    Pope. "Concentrations of parabens in human breast tumors". *J Appl Toxicol.*
    2004; 24:5-13.

3   Adina Grigore. *Skin Cleanse: The Simple, All-Natural Program for Clear, Calm,
    Happy Skin.* Nova York: Harper Wave, 2015.

4   EWG's Skin Deep Cosmetics Databased. Disponível em: <www.ewg.org/
    skindeep/#.WwQu_e4vyM8>. Acesso em: mai. 2018.

5   US National Library of Medicine National Institutes of Health. Disponível
    em: <www.ncbi.nlm.nih.gov/pubmed>. Acesso em: mai. 2018.

6   "12 ingredientes que devem ser evitados". Tradução de Michelle C. da
    pesquisa *What's Inside? That Counts: A Survey of Toxic Ingredients in Our
    Cosmetics.* Disponível em: <http://www.tantasplantas.com.br/2011/06/12-
    ingredientes-que-devem-ser-evitados.html>. Acesso em: mai. 2018.

7   *Quick Tips for Choosing Safer Personal Care Products – A Guide to Navigating
    Personal Care Product Labels. Environmental Working Group (EWG).* Disponível

em: <secure.ewg.org/images/SkinDeep_WalletGuide_EWGVPlug_C01.
pdf?_ga=2.214565022.880136120.1526931459-769824410.1526931459>.
Acesso em: mai. 2018.

8   Há um grande número de informações na página do Nacional Cancer
     Instituto (em inglês). Disponível em: <www.cancer.gov/about-cancer/causes-
     prevention/risk/myths/antiperspirants-fact-sheet#r1>. Acesso em: mai. 2018.

9   Sociedade Brasileira de Dermatologia. Disponível em: <www.sbd.org.br/
     dermatologia/pele/cuidados/cuidados-diarios-com-a-pele/>. Acesso em:
     mai. 2018.

10   "Sunscreens Explained". Skin Cancer Foundation. Disponível em: <www.
     skincancer.org/ prevention/ sun-protection/ sunscreen/ sunscreens-
     explained>. Acesso em: mai. 2018.

11   Instituto Nacional de Metrologia, Qualidade e Tecnologia (Inmetro).
     Disponível em: . Acesso em: mai. 2018.

12   "UV Filters". Breast Cancer Prevention Partners. Disponível em: . Acesso em:
     mai. 2018.

13   The Trouble with Ingredients in Sunscreens. Enviromental Working Group
     (EWG). Disponível em: <www. ewg.org/sunscreen/ report/the-trouble-
     with-sunscreen-chemicals/>. Acesso em: mai. 2018.

14   Sociedade Brasileira de Dermatologia, Disponível em: www.sbd.org. br/
     noticias/no-dia-mundial-de-combate-ao-cancer-8-de-abril-sociedade-
     brasileira-de-dermatologia-sbd-alerta/. Acesso em: mai. 2018.

15   "Brasil não trata a maior parte do esgoto urbano". Revista *Em Discussão*. N⁰ 23. Dez. 2014. Brasília: Senado Federal. Disponível em: < www.senado. gov.br/ noticias/jornal/emdiscussao/escassez-de-agua/materia.html?materia=brasil-nao-trata-a-maior-parte-do-esgoto-urbano.html>. Acesso em: mai. 2018.

16   Política Nacional de Resíduos Sólidos (PNRS). Lei nº 12.305. 2 de ago. 2010. Disponível em: www.planalto.gov.br/ccivil_03/_ato2007-2010/2010/lei/ l12305.htm. Acesso em: mai. 2018.

CAPÍTULO 4
GUARDA-ROUPA – O MAIS SUSTENTÁVEL É O QUE VOCÊ JÁ TEM

1   De acordo com o estudo *Pulse Of Fashion Industry 2017*, do Global Fashion Agenda & The Boston Consulting Group. Disponível em: <globalfashionagenda.com/wp-content/uploads/2017/05/Pulse-of-the-Fashion-Industry_2017.pdf>. Acesso em: mai. 2018.

2   "4 razões para você pensar duas vezes antes de optar pela viscose". Modefica. Disponível em: <www. modefica.com. br/4-razoes-viscose-roupa-insustentavel/>. Acesso em: mar. de 2018.

3   A Portaria 1.129, publicada no Diário Oficial da União no dia 16 de outubro de 2017, estabelece novas regras para caracterização de trabalho escravo. Disponível em: < https://www.legisweb.com.br/legislacao/?id=351466>. Acesso em: jun. de 2018.

4   *Pulse Of Fashion Industry 2017*, do Global Fashion Agenda & The Boston Consulting Group. Disponível em: http://globalfashionagenda.com/wp-content/uploads/2017/05/Pulse-of-the-Fashion-Industry_2017.pdf. Acesso em: mai. 2018.

5   "H&M é acusada de queimar 12 toneladas de roupas novas por ano". Lilian Pacce. Disponível em: <www.lilianpacce.com.br/moda/hm-e-acusada-de-queimar-12-toneladas-de-roupas-novas-por-ano/>. Acesso em: abril 2018.

6   Cris Zanetti, Fê Resende. *Vista quem você é – Descubra e aperfeiçoe seu estilo pessoal.* São Paulo: Casa da Palavra, 2013.

7   Segundo pesquisa feita pela Ong Orb Media, disponível em: <orbmedia.org/stories/Invisibles_ plastics>. Acesso em: abril 2018.

8   Informação disponível no texto "Fashion: The Thirsty Industry". Disponível em: <goodonyou.eco/fashion-and-water-the-thirsty-industry/>. Acesso em: mai. 2018.

9   Marie Kondo. *A mágica da arrumação – A arte japonesa de colocar ordem na sua casa e na sua vida.* São Paulo: Sextante, 2011.

10 Dados disponíveis no documentário *Unravel* (Direção: Meghna Gupta. Índia, 2012, 14 min.). Disponível em: <aeon.co/videos/this-is-the-final-resting-place-of-your-cast-off-clothing>. Acesso em: abril 2018.

CAPÍTULO 6
SAINDO DE CASA – O LIXO DE TODO MUNDO

1   Política Nacional de Resíduos Sólidos (PNRS). Lei no 12.305. 2 de ago. 2010. Disponível em: www.planalto.gov.br/ccivil_03/_ato2007-2010/2010/lei/l12305.htm. Acesso em: mai. 2018.

MARCAS QUE EU RECOMENDO

SABONETES NATURAIS

Boa Saboaria (SP), Ewé Alquimias (BA), Fefa Pimenta Natural (RJ), Santo Sabão (SP), Oliq (MG), Sementes de Gaia (SP), Unevie (RS), Yamuna Artesanal (SC).

ÓLEOS VEGETAIS E ESSENCIAIS

Alva, Arte dos Aromas, By Samia, Cativa Natureza, Copra, Engenharia das Essências, Herbia, Lazlo, Terra Flor, WNF.

MAQUIAGENS CERTIFICADAS ORGÂNICAS E VEGANAS

Alva, Arte dos Aromas, Baims, Bioart, Cativa Natureza, Dona Orgânica, Face It, Glory By Nature, Organela, Simple Organic.

COSMÉTICOS

Almanati, Alva, Bioart, Boni Natural, Cativa Natureza, Fefa Pimenta Natural, Herbia, Live Aloe, Glory By Nature, Multivegetal, Souvie, Surya, Unevie, Weleda.